Christie Ridgway

Un lobo solitario

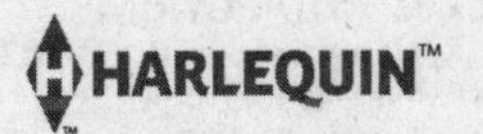

Editado por Harlequin Ibérica.
Una división de HarperCollins Ibérica, S.A.
Núñez de Balboa, 56
28001 Madrid

Un lobo solitario, n.º 2050 - 2.9.15
Título original: Beginning with Baby
Publicada originalmente por Silhouette® Books

I.S.B.N.: 978-84-687-6208-1
Depósito legal: M-19546-2015
Impresión en CPI (Barcelona)
Fecha impresión Argentina: 29.2.16
Distribuidor exclusivo para España: LOGISTA
Distribuidor para México: CODIPLYRSA
Distribuidores para Argentina: interior, BERTRAN, S.A.C. Vélez Sársfield 1950 Cap. Fed./ Buenos Aires y Gran Buenos Aires, VACCARO SÁNCHEZ y Cía, S.A.

Capítulo 1

POR qué tienes que ser tan guapo? —le preguntó Phoebe con un suspiro al bebé que tenía en sus brazos.

Pasaba ya de la medianoche del uno de agosto, y la luna colgaba del cielo, oronda como un fruto maduro en la rama de un árbol. Las estrellas brillaban, y una suave brisa con olor a jazmín entraba por la ventana de su dormitorio, agitando su camisón, con el chirrido de los grillos de fondo.

Su sobrino Rex, de dos meses, hijo de su hermanastro, se quedó mirándola, como interrogante, antes de bostezar, y a Phoebe aquello le pareció tan adorable que sintió que estaba a un paso de perder la cabeza y meterse en camisas de once varas.

—Tenemos que encontrar a tu padre —le dijo—; antes de que cometa un gran error.

Se bajó de la cama con él en brazos, salió de la habitación y fue al salón. Ni siquiera se molestó en intentar acostar de nuevo al pequeño en la cuna que había colocado en una esquina. Si lo hacía, empezaría a llorar.

Fue hasta la mesa del comedor, donde tenía el portátil que utilizaba para su trabajo y tomó el teléfono inalámbrico que había dejado junto a él. Sosteniendo al bebé en un brazo, marcó el número de su hermanastro.

—Por favor, por favor, contesta... —murmuró mientras esperaba.

Llevaba dos semanas sin responder a sus llamadas, pero Phoebe era optimista por naturaleza, y no perdía la esperanza. Sin embargo, el alma se le cayó a los pies al oír a una voz robótica decirle:

—*El número al que llama está fuera de servicio o ha sido desconectado.*

—¿Qué? —exclamó con voz ahogada.

—*Por favor, compruebe el número y vuelva a marcar.*

Phoebe colgó y volvió a intentarlo, pero de nuevo saltó el mismo mensaje automatizado. Gimió desesperada y le dijo a Rex:

—No te preocupes, chiquitín. No es que me quiera deshacer de ti. Es solo que...

«Que me gustaría quedarme contigo para siempre, y eso no puede ser», pensó, y se mordió el labio. Tenía que encontrar a su hermanastro Teddy. Le había dejado al bebé hacía un par de semanas, diciéndole que solo sería esa tarde, que necesitaba un poco de tiempo para aclararse las ideas, y no le había sorprendido cuando, al llegar la hora de la cena, Teddy aún no había regresado. Su novia, la madre de Rex, había fallecido por un aneurisma a las pocas horas de dar a luz, y Teddy no estaba preparado para sobrellevar la pérdida y criar él solo al pequeño.

Pero luego habían pasado otros tres días, y aunque había llamado a todos los amigos y conocidos de su hermanastro, nadie sabía dónde podría haber ido. El pánico se había apoderado de ella, pero un día había salido de casa y al volver se había encontrado con que Teddy había llamado y le había dejado un mensaje en el contestador diciéndole que estaba bien, pero que necesitaba un poco más de tiempo, quizá un mes, y que luego ya pensarían «qué hacer con el bebé».

Phoebe cerró los ojos con fuerza y apretó a Rex contra su pecho. No podía seguir esperando, tenía que encontrar a Teddy. Marcó el número del mejor amigo de este, pero estaba comunicando. Maldijo entre dientes. «Piensa», se dijo, «piensa». Tomó el listín de teléfonos y empezó a pasar las páginas. ¿No podría habérsele pasado por alto alguien que pudiera saber el paradero de Teddy? Y entonces, como en respuesta a sus plegarias, sus ojos se posaron en el nombre de Natalie Minton, que había sido amiga de Teddy desde el instituto.

Era tarde, pero tenía que hablar con ella por si supiera algo. Marcó el número, intentado calmar a la vez a Rex, que había empezado a lloriquear.

—Shhh... shhh...

Por fin, unos cuantos tonos después, alguien contestó.

—¿Diga?

—¿Natalie? Soy Phoebe Finley, la hermana de Teddy —aunque técnicamente eran hermanastros, el padre de Teddy la había adoptado después de casarse con su madre—. Perdona que te moleste a estas horas. ¿Has visto a Teddy últimamente?

—¿Cómo? —inquirió Natalie con voz soñolienta.

—A Teddy —repitió Phoebe, acunando al bebé, que no dejaba de llorar—. Estoy buscando a mi hermano.

—¿Qué es ese llanto que se oye? ¿Es un bebé?

Phoebe tragó saliva.

—Es Rex, el hijo de mi hermano. ¿Lo has visto?

Natalie se quedó callada un momento antes de responder.

—Ah, sí, creo que lo vi en el funeral. ¿No lo llevó Teddy con él al funeral de Angela?

—No, te pregunto si has visto a mi hermano —le explicó Phoebe con paciencia.

La voz de Natalie sonó más despierta cuando volvió a hablar.

—¿Se ha largado de la ciudad? Te ha cargado a ti con el crío y se ha largado, ¿no?

Las palabras de Natalie la inquietaron.

—¿Te dijo que iba a hacer eso?

Natalie asintió con un gruñido.

—Dijo que sabía que podía contar contigo para que te ocupases del bebé, y que incluso estaba pensando en proponerte que lo adoptaras.

El llanto de Rex iba a más, y Phoebe le frotó la espalda con la mano y volvió a cerrar los ojos.

—¿Y te dijo algo más?, ¿no te dijo dónde pensaba ir?

A duras penas oyó la negativa de Natalie por encima del llanto del bebé.

—No, lo siento.

Phoebe, que temía que los berridos de Rex pudiesen molestar a su vecino, se despidió de Natalie y colgó para intentar calmar al pequeño.

Cuando hubo logrado aplacarlo un poco, tras pasear arriba y abajo con él por el salón, inspiró profundamente y le dijo pensando en voz alta:

—A ver, tenemos que considerar esto de un modo racional, ¿verdad, Rex? —el pequeño, que la miraba con sus grandes ojos, no podía entender lo que estaba diciéndole, pero continuó hablando de todos modos, como si estuviesen teniendo una conversación—. Lo sé, sé que siempre he sido más emocional que racional —concedió.

Además de ser idealista, y tan romántica que estaba ansiosa por conocer el amor.

—Pero podría funcionar, Rex. Tú y yo podríamos arreglárnoslas. Yo tengo un trabajo flexible, y podría organizarme para ocuparme de ti sin tener que desatenderlo.

También estaban sus estudios, por supuesto, pero podía posponerlos si fuese necesario, o podría llevar a Rex a una guardería en el campus de la universidad.

—No, el trabajo y mis estudios no serían un problema —dijo en voz alta mirando al bebé, que parpadeó—. Bueno, sí, también está eso —añadió ella.

Criar a un niño supondría también posponer cualquier posible relación sentimental, y ella, que era una romántica, llevaba años soñando con encontrar el amor.

—Pero ya tengo veinticuatro años y hasta ahora mi príncipe azul no ha dado señales de vida —le dijo al pequeño.

Había tenido citas y todo eso, pero estaba decidida a encontrar la clase de amor que su madre había encontrado al conocer a su padrastro.

A Rex por fin estaban empezando a cerrársele los ojos, y Phoebe se sentó con él en el sofá. A pesar de lo cansada que estaba se quedó mirándolo, maravillándose de lo perfectas que eran su naricita, sus orejitas, sus manitas... Y una vez más volvió a sentir en su pecho esa sensación cálida que la inundaba cada vez que lo miraba.

—Te quiero muchísimo, y estoy aquí, a tu lado —le susurró.

Y luego, aunque no era su madre, de sus labios escaparon las palabras «mamá está aquí».

El bebé del apartamento de al lado estaba llorando otra vez. Jackson intentó ignorarlo y volver a dormirse, pero no había manera. A través de las paredes, que parecían estar hechas de papel, se oía el llanto de aquel niño como si estuviese en su dormitorio, y hasta la dulce voz de su madre, hablándole para calmarlo.

Sentía cierta curiosidad. Llevaba un mes allí, en Strawberry Bay, e iba a quedarse cinco semanas más. Durante las primeras semanas apenas había oído a su vecina, y no había oído ni una sola vez el llanto de aquel bebé. Durante buena parte del día solo se escuchaba un ruido de teclas, por lo que suponía que trabajaba en casa con un ordenador, y de vez en cuando el teléfono y su voz. Y entonces, de repente, hacía un par de semanas, había empezado a oír el llanto de aquel bebé, como si hubiese aparecido de la nada.

De hecho eso parecía, porque había visto de pasada un par de veces a su vecina, y no le había dado la impresión de que estuviese embarazada. Ni se había ausentado de su apartamento el tiempo suficiente como para ir a dar a luz al hospital.

Jackson se tapó la cabeza con la almohada y gruñó irritado. ¿Y qué le importaba a él nada de eso? Lo que necesitaba era dormir para poder rendir en su trabajo esa noche. Su equipo y él estaban reforzando los pasos elevados para que soportasen mejor los terremotos, bastante frecuentes en California, y para cerrar una autopista y trabajar en ella la única franja horaria posible era entre las nueve de la noche y las cinco de la mañana, cuando había menos tráfico.

Jackson apartó la almohada, miró el reloj de la mesilla, que marcaba las cuatro de la tarde, y resopló. En los dos años que llevaba trabajando de noche no había tenido problemas para dormir durante el día, igual que no le había importado mudarse de un sitio a otro cada vez que terminaba un proyecto. Pero, si no podía dormir, ¿cómo iba a trabajar? Se levantó y se puso unos vaqueros y una camiseta. No podía continuar así ni un día más.

Cuando salió de su apartamento al minúsculo pasillo y se plantó frente a la puerta de su vecina, el llanto del bebé se oía con la misma intensidad. Se sentía incómodo por ir a quejarse por aquello, pero tenía derecho a dormir. Llamó a la puerta con los nudillos, y al poco rato esta se abrió.

Jackson parpadeó al ver a la mujer frente a él, con el bebé llorando desconsolado en sus brazos. Sus ojos eran de un gris claro azulado, como el cielo al amanecer, y las espesas pestañas que los bordeaban tan oscuras como la noche... ¿Pero en qué diablos estaba pensando?, se reprendió.

—¿Sí? —le preguntó ella recelosa.

Incapaz de articular palabra, Jackson la miró embelesado. Llevaba un vestido camisero con un estampado de flores y sandalias. El cabello, largo, oscuro y ondulado, le caía sobre los hombros. Tenía las mejillas redondeadas, una piel sin una sola imperfección y unos labios carnosos.

Su apariencia era tan ingenua que se habría sonrojado si hubiese tenido que explicarle cómo se «hacían» los niños, como el que sostenía en sus brazos.

Ella le lanzó otra mirada nerviosa y acunó suavemente al bebé, que no hizo sino berrear con más fuerza.

—¿Qué quería? —le preguntó.

—Discúlpeme —comenzó él frunciendo el ceño, con la esperanza de parecer tan irritado como estaba. Ella tragó saliva y lo miró como asustada. Tampoco era eso lo que quería. Sin saber qué decir, Jackson señaló con un ademán la puerta entreabierta de su apartamento—. Yo...

El nerviosismo de ella se desvaneció de inmediato.

—¡Ah, eres mi vecino! —exclamó con una sonrisa de alivio—. Pasa, por favor —le dijo mientras le daba palmaditas al inconsolable bebé.

¿Y qué podía hacer un hombre ante una invitación tan amistosa? Pasó al pequeño vestíbulo, y nada más hacerlo se dio cuenta de que no debía haberlo hecho. Debería haber expresado su queja en el pasillo, en territorio neutral, se dijo. Pero los berridos del bebé le hicieron cuadrar los hombros y apretar la mandíbula.

—Me llamo Jackson Abbott y he venido porque...

—¡No sabes cómo me alegra que hayas venido! —lo interrumpió ella sacándose un chupete del bolsillo. Lo acercó a la boca del bebé, pero este lo rechazó una y otra vez—. Tenía intención de ir a presentarme y darte la bienvenida. Soy Phoebe Finley —sonrió de nuevo y añadió—: Y también quería darte las gracias.

Jackson parpadeó contrariado. ¿Que quería darle las gracias?

—Pero como puedes ver he estado un poco ocupada —dijo ella cambiando el peso de un pie a otro y acunando al bebé.

Era la ocasión perfecta, pensó él, preparándose de nuevo para decir lo que tenía que decir. Sin embargo, en ese momento sus ojos se posaron en la carita del bebé, que paró de llorar un momento y se quedó mirándolo entre sollozos quejumbrosos. Y cuando Jackson finalmente abrió la boca para hablar, se encontró dirigiéndose al bebé sin saber por qué.

—¿Qué pasa pequeña...?

Entornó los ojos, intentando dilucidar si era un niño o una niña, y su vecina pareció darse cuenta, porque le dijo con una sonrisa divertida:

—Este es Rex, el hijo de mi hermano. Y es el motivo por el que quería darte las gracias.

—¿Las gracias por qué?—inquirió él sin comprender.

—¡Por no quejarte del ruido, claro está!

Jackson se sintió como un gusano miserable.

—¿El ruido? —repitió.

El bebé empezó a llorar de nuevo.

—Has tenido que oírlo llorar.

—Ah, sí —respondió él vagamente.

—Pues es que no ha habido un solo vecino que no se haya quejado. Pero gracias a ti he podido decirle a la casera que, si a ti no te molesta, ¿por qué habría de molestarle a los demás?

Jackson tragó saliva.

—Claro, ¿por qué habría de molestarles? —repitió. ¿Y él por qué estaba comportándose como un idiota? ¿Por qué no había ido a quejarse desde el primer día como los demás?—. ¿Tu hermano ha venido a verte y está pasando unos días contigo? —inquirió esperanzado.

Una expresión extraña cruzó por el rostro de ella.

—No, solo Rex. Lo tendré conmigo por lo menos un mes, o quizá más.

¿Un mes? ¿El tiempo que le quedaba de estancia allí, en Strawberry Bay? Estupendo, si el bebé seguía llorando las semanas siguientes como había estado haciendo durante las dos últimas, seguiría sin poder pegar ojo.

Pero entonces se quedó pensando y frunció el ceño. ¿Su hermano iba a dejarle todo un mes a su sobrino? Aquello no tenía sentido. Ella debió de advertir su extrañeza, porque le explicó:

—Es un poco... complicado. La madre de Rex murió tras dar a luz, y mi hermano necesitaba un poco de tiempo. Yo solo estoy... haciendo de «suplente», por así decirlo —bajó la vista al bebé y plantó un beso en su cabecita.

A él no le pareció un beso de «suplente», ni el modo amoroso en que miró al pequeño le pareció una mirada de «suplente».

—De hecho —añadió ella—, has sido tan amable y tan tolerante que te diré, en confianza, que espero poder quedarme con él. Para siempre, quiero decir.

El cerebro de Jackson dio un frenazo al oír eso.

—¿Cómo?

Su vecina se aclaró la garganta.

—Bueno, es que ahora mismo mi hermano está... no sé dónde está, pero va a volver, y cuando vuelva resolveremos la cuestión de la custodia del bebé.

Jackson no podía creerse lo que estaba oyendo. Alguien tenía que decirle a aquella pobre chica que los finales felices solo ocurrían en los cuentos de hadas. En sus treinta años de vida él había aprendido que a veces la gente salía de la vida de uno por voluntad propia y otras porque algo los arrancaba de su camino.

Sin embargo, aquello no era asunto suyo, ni tenía que ver con el motivo que lo había llevado allí.

—Mira, Phoebe, yo había venido porque...

—¿Necesitas que te preste algo? —le preguntó ella, alzando la voz por encima del llanto del bebé.

—Lo que necesito es descansar —masculló él para sí. Quizá acabaría antes comprándose unos tapones para los oídos.

—¿Azúcar? —aventuró ella, que evidentemente no le había oído.

Jackson arrojó los brazos al aire. Le sabía mal darle más problemas.

—Sí, eso es —claudicó—, venía a pedirte un poco de azúcar.

—Cómo no —contestó ella, con otra de esas sonrisas radiantes.

Y fue entonces cuando ocurrió. Su vecina lanzó

una mirada a la cocina, que se entreveía a unos metros detrás de ella, y luego miró al pequeño que no dejaba de llorar.

Jackson leyó la desesperación en su rostro. ¿Cómo ir a la cocina y calmar a la vez al bebé? Lo cual era irónico, teniendo en cuenta que él ni siquiera necesitaba el azúcar.

Pero cuanto antes fuese a por el azúcar, antes podría marcharse, así que se ofreció a echarle una mano.

—Déjamelo —dijo extendiendo las manos hacia el pequeño.

Ella vaciló, pero luego pareció darse cuenta de que el bebé no podría enrabietarse más, y se lo pasó con cuidado. Y de repente Rex dejó de llorar y se quedó mirándolo con sus grandes ojos. Al principio Jackson creyó que el sobresalto de encontrarse en los brazos de un gigante era lo que había hecho que dejase de llorar, pero pasaron los segundos y seguía tranquilo, y al cabo de un rato empezaron a cerrársele los ojos.

Alzó la vista hacia su vecina, que estaba mirándolo anonadada. Él, que también estaba sorprendido, se encogió de hombros. En el pasado se le habían dado bien los niños, pero nunca habría imaginado que, después de catorce años, seguía conservando aquella habilidad.

Capítulo 2

JACKSON estaba desayunando a la mañana siguiente cuando llamaron a su puerta. Se imaginaba quién era, porque se oía el llanto del pequeño Rex, y aunque eran poco más de las seis y media, sospechaba que debía llevar bastante rato despierto.

Por un momento pensó en hacer como que no estaba; no quería mostrarse demasiado amistoso con su vecina y aquel bebé que no era de ella, aunque lo tratase como si lo fuera. Él había pasado por eso, por querer aferrarse a alguien y acabar perdiéndolo. No quería verse envuelto en los problemas de otras personas.

—¡Jackson, si estás en casa, abre por favor! —le suplicó Phoebe—. Necesito ayuda.

Él se levantó de mala gana y fue a abrir.

—Eres mi héroe —dijo ella aliviada.

—No, no lo soy —murmuró Jackson mirando a

Rex, que lloraba como si lo estuviesen matando—. ¿Qué ocurre?

Phoebe se mordió el labio.

—Es que varios vecinos se han quejado porque Rex lleva despierto y llorando a cada rato desde las cuatro de la mañana, y la señora Bee, la casera, me ha dicho que esto no puede seguir así.

Jackson frunció el ceño.

—¿Y?

Phoebe tragó saliva.

—Pues... había pensado que tal vez si tomaras a Rex en brazos, como ayer, consigas que se quede dormido. Debe de estar exhausto, y ayer conseguiste que se durmiera en un abrir y cerrar de ojos; pareció cosa de magia.

Era ella quien parecía exhausta. Tenía unas ojeras tremendas, y estaba pálida. Sin embargo, aquello no era problema suyo.

—Lo siento, pero estoy en medio del desayuno.

Iba a cerrar la puerta cuando ella interpuso su zapatilla de deporte para impedírselo.

—Por favor —le suplicó—, ¿no podrías tenerlo en brazos mientras comes? No quiero molestarte, pero es que necesito aplacar a la señora Bee.

Jackson suspiró para sus adentros y abrió, consolándose con el pensamiento de que con aquello al menos debía estar ganando puntos para ir al Cielo. Abrió la puerta del todo, y Phoebe entró, dándole las gracias con una sonrisa.

Sin embargo, la sonrisa se desvaneció de sus labios al ver el espartano salón de su apartamento: un sofá desvencijado, un par de cajas de naranjas, una mesa plegable y un par de sillas.

Jackson se encontró excusando aquello sin saber muy bien por qué.

—Solo estoy aquí de forma temporal —dijo señalando con un ademán las paredes desnudas—. Por mi trabajo siempre estoy yendo de un sitio a otro.

Ella no dijo nada, pero parpadeó al ver lo que había en la mesa.

—¿Ese es tu desayuno? ¿Coca-Cola y cecina de ternera?

—No es de ternera, es de pavo —se defendió él.

—Aun así... —Phoebe puso cara de asco.

Como si se hubiese hartado de que lo estuviesen ignorando, Rex, que se había callado un poco, empezó a lloriquear de nuevo. Jackson suspiró.

—Anda, dámelo —le dijo a Phoebe.

—No hasta que estés sentado, tomándote tu... desayuno, si es que se puede llamar así.

Él la miró irritado y se sentó.

—Trabajo por las noches y mi estómago lleva un horario distinto al tuyo.

—Yo diría más bien que es de un planeta distinto —murmuró ella, acercándose para tenderle a Rex.

El bebé se calló de inmediato, y Jackson cerró los ojos un instante, intentando bloquear los recuerdos agridulces que le provocaba el tener al pequeño en los brazos.

—¿Y cómo es lo de trabajar por las noches? —le preguntó ella.

Jackson tomó un sorbo de su refresco antes de contestar.

—Empiezo a las nueve de la noche, y acabo a las cinco de la mañana.

—Eso lo explica todo. Algunas mañanas a esa

hora Rex ya me tenía despierta y al oírte llegar y cerrarse tu puerta pensé que tenías una vida amorosa muy intensa —le confesó Phoebe.

Jackson se rio.

—Pues ya ves que no; las noches me las paso trabajando.

Phoebe se paseó un poco por la habitación, y cada paso agitaba ligeramente la falda del vestido, rozándole las pantorrillas. El dulce olor de su perfume llegó hasta él, y Jackson sintió una oleada de calor en la entrepierna.

—¿Y qué clase de trabajo haces? —le preguntó Phoebe.

Jackson apartó la vista de ella.

—Soy ingeniero, y trabajo para una compañía que refuerza los pasos elevados sobre las carreteras para que soporten mejor los terremotos.

Phoebe se acercó y miró por encima de su hombro para echarle un vistazo a Rex.

—Pues con todos los pasos elevados que hay en California tendréis mucho trabajo —comentó.

El olor de su perfume lo envolvió, y Jackson tuvo que hacer un esfuerzo para mantenerse centrado en la conversación.

—Por eso vamos de un lado a otro del estado —contestó—. Solo estaré aquí un mes más o así.

—¿Y te gusta? Lo de trabajar por las noches y vivir como un nómada, quiero decir.

—Bueno, no lo llevo mal.

Phoebe acercó la otra silla y se sentó a su lado.

—¿Y tú? —le preguntó él.

Ella frunció el ceño.

—¿Yo qué?

Jackson no sabía por qué le había preguntado. No quería que pensara que tenía algún interés en ella.

—Que si estás contenta con la vida que llevas —dijo encogiéndose de hombros.

—Supongo que sí. Estoy intentando terminar mis estudios universitarios, y mi trabajo me mantiene ocupada —cruzó las piernas, y al hacerlo la falda del vestido se le subió un poco, dejando al descubierto una rodilla—. Y ahora que tengo a Rex a mi cargo...

—¿Qué opina tu novio dc cso, por cierto? —inquirió Jackson sin poder contenerse. Estupendo; pregunta estúpida número dos.

Phoebe enarcó las cejas.

—No tengo novio —dijo—. Y con mi situación actual dudo que vaya a salirme ninguno muy pronto.

Por algún motivo, su respuesta inundó a Jackson de alivio, y no estaba seguro de si eso era bueno o malo.

Phoebe lanzó otra mirada al bebé y sonrió a Jackson.

—Has vuelto a lograrlo; se ha dormido.

Él bajó la vista y vio que era verdad. El pequeño Rex estaba en brazos de Morfeo, con la boca abierta y una gota de saliva deslizándose peligrosamente hacia su antebrazo.

Phoebe alargó la mano con una sonrisa y le limpió el moflete.

—Gracias —le dijo a Jackson poniéndose de pie—. Y gracias también en nombre de los demás vecinos, aunque no saben que has sido tú quien ha conseguido que se calme.

Cuando se inclinó para tomar al bebé de sus brazos, el escote del vestido se quedó colgando ligeramente, y Jackson vio fugazmente sus hermosos senos, cubiertos por un sujetador de encaje blanco.

Reprimió un gemido y apartó la vista, al tiempo que contenía el aliento para no inspirar el peligroso aroma de su perfume. Ya con el bebé en sus brazos, Phoebe se irguió y se dio la vuelta.

«Por fin», pensó Jackson. Al fin iba a marcharse. Y no volvería a ayudarla, se dijo con firmeza. Sin embargo, apenas había pensado eso cuando, al llegar a la puerta, Phoebe se giró hacia él. Esbozó una sonrisilla divertida y le dijo:

—Perdona, pero tengo que preguntártelo: ¿qué plan tienes mañana a esta hora? Lo digo por si Rex vuelve a ponerse rebelde.

A la mañana siguiente, por suerte, Phoebe no necesitó de su vecino. Rex seguía durmiendo, y ella estaba tecleando sin hacer ruido en su portátil. Y aunque Jackson no se había quejado, sin duda él también se sentiría aliviado al llegar a su apartamento del trabajo y ver que todo estaba en silencio.

Como le había dicho, antes de enterarse de que trabajaba de noche, había dado por hecho que pasaba las noches fuera porque tenía un tórrido romance. Y si él no lo hubiera negado habría seguido pensándolo. Era la clase de hombre que podría tener a cualquier mujer con solo chasquear los dedos.

Y no era de extrañar: era alto, fuerte, de anchos hombros, caderas estrechas y muslos robustos. Y la primera vez que lo había mirado a los ojos, castaños como su cabello despeinado, se había sentido atrapada por ellos. De hecho, con solo recordarlos, un escalofrío de excitación le recorrió la espalda.

Y por si todo eso fuera poco, estaba esa habilidad sorprendente que tenía para hacer que Rex se calmara. Al principio había pensado que debía de ser porque el pequeño estaba acostumbrado a su hermanastro, pero Teddy no se parecía en nada a Jackson. No tenía una voz profunda, ni un torso musculoso como él.

Intentó apartarlo de su mente, pero a cada momento se encontraba pensando otra vez en su apuesto vecino. Desde el modo en que sostenía al bebé, hasta la ternura que reflejaban sus ojos cuando lo tomaba en brazos.

Otro escalofrío delicioso la sacudió. Si un hombre moreno y misterioso ya le resultaba atractivo, que tuviese también madera de padre lo hacía irresistible. Frenó sus pensamientos para no seguir por ese camino. En ese momento lo importante era Rex. Y no hacía falta ser un genio para darse cuenta de que Jackson tampoco quería nada con ella; para él solo eran vecinos, y además de forma temporal.

Justo en ese momento oyó pasos fuera y un tintineo de llaves. Su vecino estaba de vuelta. Se alegró de que Rex estuviese durmiendo, porque probablemente Jackson estaría cansado y listo para meterse en la cama después de otro desayuno «gourmet» a base de carne seca y un refresco carbonatado. ¡Puaj!

De pronto se acordó de los muffins de calabacín y frutos secos que había horneado la noche anterior. Mucho más nutritivos y apetitosos que un plato de cecina de ternera. ¡Ah, sí, usted perdone!, de cecina de pavo, se corrigió poniendo los ojos en blanco.

¿Y si se pasase a llevarle dos o tres muffins? Sería un gesto amable, que la ayudaría a verlo solo como un vecino. Aprovechando que Rex seguía durmiendo plácidamente, fue a la cocina, puso algunos muffins en un plato y salió del apartamento, cerrando despacito.

Jackson no tardó en abrir cuando llamó a su puerta. Vestido con unas pesadas botas, vaqueros, y con la camisa desabrochada, parecía cansado y la miró con recelo.

—¿Problemas otra vez? —le preguntó bruscamente.

¿Problemas? Ninguno. A menos que la visión de su torso musculoso y bronceado pudiese afectar a su presión sanguínea, pensó ella tragando saliva.

—No, yo... —de pronto se le había olvidado por qué había ido a su casa. Jackson bajó la vista, y al hacer ella lo mismo vio el plato en sus manos. ¡Ah, claro!, había ido a llevarle unos muffins—. Toma —dijo tendiéndole el plato.

Él no se movió, sino que se quedó mirándolo con suspicacia, como si pensase que pudieran estar envenenados.

—¿Qué es esto?

Un mechón cayó sobre la frente de Jackson, subiendo un punto más su atractivo, y Phoebe se encontró balbuceando.

—Pues son... Son mu… muffins de calabacín y frutos secos.

Jackson permaneció inmóvil.

—¿Pero a qué se debe esto?

—Son para ti, por ayudarme. En agradecimiento por lo que has hecho.

Jackson se puso de puntillas y miró por encima del hombro de ella, como si pensara que pudiera estar ocultando algo tras de sí.

—¿Y dónde has dejado a tu compinche llorón?

Phoebe se rio.

—Lo creas o no, está dormido.

Sin pensar, le dio un par de golpecitos de broma en el estómago con el borde del plato para que lo tomara, pero cuando sus ojos se posaron en los músculos de su abdomen, sintió que se le subían los colores a la cara.

Los largos dedos de Jackson agarraron el borde del plato para impedir que volviera a hacerlo.

—¡Eh!, podría tener cosquillas.

—¿Tienes? —le preguntó ella en un tono casi insinuante.

¿Pero qué estaba haciendo?, se reprendió azorada, bajando la vista. ¿Estaba flirteando con él?

Jackson no contestó, y cuando Phoebe alzó la vista y sus ojos se encontraron, tragó saliva y apartó las manos del plato.

—Bueno, debería irme ya —murmuró.

—Sí —dijo él.

Sin embargo, ninguno de los dos se movió.

—He... he dejado a Rex solo... —balbució ella.

Jackson asintió.

—Bueno, pues nada... —murmuró Phoebe como una tonta.

¿Por qué no obedecían sus pies a las órdenes de su cerebro?

—Dale recuerdos al pequeñajo.

—Lo haré —respondió ella—. Su padre llamó anoche.

No sabía por qué le estaba contando aquello a Jackson. Tal vez porque no tenía a nadie más a quien contárselo.

—¿Hablaste con tu hermano?

Ella asintió.

—Hablamos de Rex, y le hablé de lo mucho que me he encariñado con él. Le dije que desde el primer momento en que lo vi fue como... la verdad es que no sé cómo explicarlo.

Jackson se encogió de hombros.

—Es una cuestión evolutiva. La naturaleza hizo así de guapos a los bebés para que nos inspirasen ternura y cuidásemos de ellos. Así se asegura la supervivencia de la especie.

—No, fue más que eso —replicó ella. Desde el principio había sentido que quería a Rex, que quería criarlo y darle todo su cariño—. Mi hermano dice que todavía necesita algún tiempo para decidir qué va a hacer, pero no voy a preocuparme —le dijo—. Al final, de una manera u otra, las cosas acaban solucionándose, ¿no crees?

—Lo que creo es que eres muy joven, y algo ilusa —murmuró él.

—Tal vez —concedió ella, esbozando una pequeña sonrisa—. Pero también soy buena cocinera. Que los disfrutes —dijo señalando los muffins con la cabeza, y se despidieron.

Phoebe había empezado a sacar a Rex de paseo cada día para que tomara un poco de aire fresco. Tras la primera llamada de Teddy le había quedado claro que el pequeño iba a estar bastante tiempo con ella, y había decidido que lo mejor sería establecer una rutina diaria con él.

Sobre las diez de la mañana lo ponía en el carrito que había comprado, y lo llevaba al pequeño parque de la ciudad, que tenía un montón de árboles. Iba a esa hora porque el primer día se había tropezado allí con una conocida de la facultad, Lisa, que tenía un bebé unos meses mayor que Rex, y esta la había invitado a unirse a un grupo de madres que había formado. Quedaban junto al cajón de arena, a la izquierda de los columpios.

Esa mañana fue la última en llegar. Tras encontrar un hueco, extendió sobre el césped la pequeña colcha de patchwork que llevaba, y colocó sobre ella a Rex y la bolsa con las cosas del pequeño. Saludó a las demás y se unió a la conversación, sentándose junto a Rex. Los niños más mayores correteaban de un lado a otro con sus cubitos, rastrillos y palas de arena, y los que ya gateaban iban de una colcha a otra.

Lisa, con su pequeña Andrea en la cadera, se acercó para sentarse junto a Phoebe.

—¿Cómo te va con Rex? —le preguntó.

Phoebe le sonrió y contestó:

—Mucho mejor. Creo que estoy empezando a pillarle el truco a esto de cuidar de un bebé.

Lisa asintió.

—Lleva su tiempo —le hizo cosquillas a Rex debajo de la barbilla, y el pequeño sonrió al instante—. ¿Sabes?, creo que está empezando a parecerse a su tía.

Phoebe esbozó una sonrisa triste.

—Es peor aún: estoy empezando a sentirme como si de verdad fuera mi hijo.

Como le había dicho a Jackson, era algo que no podía explicar, pero había sido instantáneo, un sentimiento de tierno amor que se había apoderado de ella desde la primera vez que lo había sostenido en sus brazos. Y para una mujer como ella, que siempre había querido formar una familia, y que llevaba sola demasiado tiempo, era un sentimiento potencialmente peligroso que no podía ignorar.

—¿Has vuelto a saber algo de tu hermanastro? —le preguntó Lisa.

Phoebe asintió.

—Anoche. Pero todavía no he conseguido que me diga qué piensa hacer —le explicó. Ese era el peligro: si Teddy no hacía nada, ella podría acabar perdiendo a Rex. Inspiró, tratando de calmarse—. Y estoy teniendo muchos problemas con mi casera. Los vecinos se quejan porque Rex llora mucho, y me ha amenazado con llamar a los servicios sociales porque dice que una mujer soltera no puede hacerse cargo de un bebé.

Lisa frunció el ceño.

—¡No puedes permitir que haga eso! Podrían quitarte a Rex.

—Lo sé, eso es lo que me preocupa, pero... —Phoebe se encogió de hombros y acarició la orejita del bebé—. Me molesta que se entrometa, pero en el fondo estoy segura de que no tiene mala intención.

—Pues dile que no vas a seguir soltera toda la vida. Dile que...

—Dile que vas a casarte con alguien —intervino otra de las mamás del grupo, que había estado escuchando su conversación. Todas sabían de su situación, y le habían mostrado su apoyo—. ¡Con alguien como ese morenazo que viene por allí! —añadió con una sonrisa traviesa, mirando por encima del hombro de Phoebe.

Ella se rio y echó una mirada tras de sí, pero en ese momento se le cortó la risa. El «morenazo» era Jackson, que se dirigía hacia ellas con el cabello revuelto, sus vaqueros y la camisa medio desabrochada. Nerviosa, se puso de pie como un resorte, y él se detuvo a un par de pasos de ella y la saludó.

Aturdida, Phoebe boqueó como un pez fuera del agua. Solo oír su nombre de labios de él hacía que un cosquilleo la recorriese de arriba abajo. Tragó saliva y balbució:

—Jackson... ¿Qué... qué estás haciendo aquí?

Las otras mujeres se habían quedado calladas, y una ajena al grupo, que pasaba cerca con su pequeño de la mano, se había parado en seco y se había quedado mirando a Jackson boquiabierta.

—Ha venido un mensajero ha traerte un paquete. Al principio llamó a mi puerta por error, pero como habías salido me pidió que le firmara yo el recibo y te diera luego el paquete. Y eso iba a hacer, pero he venido a avisarte de que había llegado porque he pensado que a lo mejor era algo importante. La señora Bee me dijo dónde podría encontrarte —Jackson hizo una pausa y enarcó una ceja—. Phoebe, ¿me estás escuchando?

Ella dio un respingo.

—Perdona, estaba distraída.

Jackson se cruzó de brazos y carraspeó.

—He dicho que me han dejado un paquete para ti, y que lo tengo en mi apartamento. Puede que sea importante.

Phoebe parpadeó.

—Ah. Gracias por venir hasta aquí para avisarme.

Dudaba que Teddy hubiese tomado una decisión tan deprisa, pero sería mejor que se cerciorase. Se dio la vuelta para recogerlo todo y tomar a Rex en brazos.

—Deja, yo lo llevaré —dijo Jackson, agachándose para levantar al pequeño.

Phoebe puso la bolsa de tela sobre el carrito, colocó encima la colcha de patchwork doblada, y se despidió con una sonrisa vergonzosa de sus amigas, que seguían mirando a Jackson embobadas.

Las ruedas del carrito crujían mientras se alejaban por el camino de cemento salpicado de arena. Jackson iba delante, con Rex en brazos, y ella, que iba unos pasos por detrás de él, intentó apartar la mirada de su camisa, bajo la cual se adivinaban los fuertes músculos de la espalda.

De pronto se oyeron unos pasitos infantiles tras ellos, y al girar la cabeza Phoebe vio que era la pequeña de tres años de una de las mujeres del grupo. Su madre había salido corriendo detrás de ella.

—¡Señor! —llamó la niña a Jackson.

Él se detuvo, y se volvió con el ceño fruncido. Una expresión extraña, como de dolor, cruzó brevemente por su rostro.

—¿Qué? —preguntó con cierta aspereza. Luego, como si se hubiera percatado de su brusquedad, inspiró y repitió en un tono más amable—. ¿Qué quieres?

La niña, que llevaba una piruleta en la mano, señaló a Rex con ella y le preguntó:

—¿Es usted el papá de ese bebé?

Jackson sacudió la cabeza, e iba a darse ya la vuelta para continuar su camino, cuando la niña, que no iba a darse por vencida tan fácilmente, lo llamó de nuevo.

—¡Señor!

Jackson se detuvo y enarcó una ceja.

—¿Sí? —inquirió esbozando una sonrisa divertida.

—Pues... que si no es su papá... ¿podría ser el mío?

La madre de la niña, que les había dado alcance en ese momento, emitió un gritito ahogado, y se tapó la boca con ambas manos, roja como una amapola.

Phoebe nunca se habría esperado la reacción que tuvo Jackson, que se acuclilló para ponerse a la altura de la pequeña y le sonrió con ternura.

—¿Quiere ser mi papá? —le repitió la niña.

Él sonrió de nuevo, y le dio un toque en la naricilla con un dedo.

—Te agradezco la invitación, pequeñaja —le respondió con amabilidad—, pero no estoy hecho para ser el padre de nadie.

Capítulo 3

DE pie frente a la puerta de Phoebe, con un café en cada mano y una bolsa de papel con donuts sujeta contra el pecho, Jackson vaciló. ¿No estaría implicándose demasiado?

Esa mañana, de regreso del trabajo, se había encontrado con Melinda Richie, la enfermera que vivía en el primer piso, y le había mencionado que Phoebe había pasado una mala noche con Rex, que no había dejado de llorar.

Al oír eso se había acordado de pronto de las amargas horas que había vivido en el pasado. Bebés que lloraban y solo se calmaban cuando alguien los tomaba en brazos y los paseaba por la habitación. Sentirse tan cansado que faltaba al colegio al día siguiente, aun cuando ya había perdido demasiadas clases.

Cuando Melinda le había dicho que Phoebe había pasado una mala noche, había tenido otro de esos impulsos suyos de buen samaritano. Como el día anterior, cuando había ido en busca de Phoebe al parque por lo del paquete, que al final ni había sido urgente, ni de su hermanastro.

El caso era que esa mañana, de regreso del trabajo, tras encontrarse con Melinda había parado en un Speedy-Mart a comprar el café y los donuts que sostenía en ese momento. Sería una pena dejar que se echasen a perder, se dijo, y como tenía las manos ocupadas golpeó suavemente la puerta de Phoebe con la puntera de la bota.

Cuando le abrió, con el pequeño Rex en brazos, casi se le cayeron los vasos de cartón y la bolsa de los donuts. Con el largo cabello castaño revuelto, los ojos medio cerrados por el cansancio, y ataviada con un camisón blanco de tirantes, parecía que acabase de levantarsc de la cama.

Al ver lo que le traía, su rostro se iluminó.

—¿Es café? —inquirió olisqueando. Alzó la vista hacia él—. ¿Cuánto quieres por un vaso?

Jackson se sintió tentado de pedirle a cambio un beso de esos labios tan sensuales.

—Puedes pasar... —le dijo Phoebe— siempre y cuando me des un poco.

Jackson la siguió dentro y cerró la puerta suavemente con el pie. Ya en el salón, como si no le quedasen energías, Phoebe se dejó caer en el sofá y extendió un brazo, mostrándole las venillas azules en la cara interna del codo.

—Estoy cansada hasta para beber; inyéctamelo en vena, por favor —bromeó.

Él esbozó una media sonrisa mientras dejaba los vasos y la bolsa en la mesita.

—¿Cómo lo tomas?, ¿con azúcar?, ¿con nata...?

Phoebe sacudió la cabeza.

—Ahora mismo ni lo sé. Solo me va bien.

Jackson hizo una apertura en la tapa de uno de los vasos de cartón.

—¿Tan mala ha sido la noche? —le preguntó.

Phoebe cerró los ojos un momento y suspiró.

—Rex no se calmaba a menos que lo tomase en brazos y lo pasease arriba y abajo. Hubo un momento en que probé a sentarme aquí, en el sofá, y mover las piernas, pero mi chico es demasiado listo como para dejarse engañar.

«Mi chico»», había dicho. ¿Acaso no sabía lo peligroso que era que se refiriese así a su sobrino, como si fuera hijo suyo?

—Ten —le dijo tendiéndole el vaso de café.

Phoebe alargó la mano libre para tomarlo.

—¿Está enfermo? —le preguntó Jackson.

Ella tomó un sorbo de café y al oírla suspirar de placer Jackson se sintió satisfecho de haber hecho aquella buena obra.

—Según Melinda, no —respondió Phoebe—. Sabes que es enfermera, ¿no? —Jackson asintió, y ella continuó—. La llamé y vino a echarle un vistazo. Me dijo que le parecía que era solo una pequeña indigestión. Me ha recomendado que compre un preparado distinto para sus biberones.

Jackson asintió.

—Probablemente sea eso.

Cuando alargó la mano para acariciar la espalda del bebé dormido, Phoebe se estremeció.

—¿Tienes frío? —le preguntó él—. ¿Te traigo una bata o algo?

Un ligero rubor había teñido las mejillas de Phoebe, pero Jackson lo achacó al café caliente.

—No, estoy bien —contestó ella sacudiendo la cabeza—. Tan bien como se puede estar después de toda una noche sin pegar ojo.

—¿Quieres que acueste a Rex en la cuna? —le ofreció Jackson.

Phoebe vaciló, como si temiera que el bebé pudiera despertarse, pero él se acercó de todos modos, le quitó el vaso de café de la mano, lo dejó en la mesita y tomó en brazos al pequeño. Al hacerlo, sus nudillos rozaron el camisón de Phoebe, pero apretó los dientes e ignoró la ola de calor que lo invadió mientras se alejaba para llevar al bebé a la cuna, colocada en el rincón.

Sin embargo, cuando regresó, volvió a sentirse acalorado. Probablemente, Phoebe estaba demasiado cansada para ser consciente de ello, pero lo que llevaba puesto no dejaba demasiado a la imaginación.

Le quedaba justo por encima de la rodilla, dejando al descubierto parte del muslo, las torneadas pantorrillas y sus pies desnudos. Y como era de algodón y bastante fino se le transparentaban ligeramente las braguitas. Subió la vista, y de inmediato deseó no haberlo hecho. Se le había quedado pegado el camisón donde había tenido apoyado al bebé, y se marcaban bajo la tela el contorno de sus turgentes senos y las areolas sonrosadas.

Jackson tragó saliva. Por suerte Phoebe había vuelto a cerrar los ojos. En ese momento murmuró algo sobre el café al tiempo que tanteaba a ciegas a su alrededor, y Jackson se apresuró a tomar el vaso de la mesita y volver a ponérselo en la mano.

Phoebe abrió los ojos y murmuró con una sonrisa:

—Mi héroe...

No era la primera vez que le llamaba eso, recordó él, apretando los dientes.

—Sí, un héroe que se va a ir a su apartamento ahora mismo.

Phoebe enarcó las cejas.

—¿Por qué? —inquirió, recorriéndolo de arriba abajo con ojos soñolientos.

Él se permitió hacer lo mismo, y gruñó de frustración.

—¿Qué? —inquirió ella, obviamente ajena a lo sugerente que resultaba con aquel camisón.

Jackson sacudió la cabeza.

—Voy a buscarte una bata —murmuró, y se fue derecho al dormitorio.

Craso error. El aroma floral de su perfume flotaba en la habitación, y sus ojos se vieron atraídos por la cama. Sin poder evitarlo, se encontró imaginándose en ella con Phoebe, haciendo...

Mascculló un improperio, furioso consigo mismo, agarró una bata de seda que colgaba de un perchero junto a la puerta y volvió al salón.

Phoebe había dejado el café en la mesita, se había tendido en el sofá y tenía los ojos cerrados. Su cabello estaba desparramado sobre un cojín, y uno de los tirantes había resbalado por su hombro, dejando a la vista la parte superior de uno de sus senos. Parecía que se había quedado profundamente dormida.

Jackson no podía moverse; no podía casi ni respirar.

Y fue ese el cuadro que se encontró la santurrona

metomentodo de su casera, que apareció justo en ese momento. ¿Cómo había entrado?, se preguntó Jackson perplejo. Creía que había cerrado al llegar, pero quizá no había cerrado bien.

Un chillido despertó a Phoebe, que se incorporó como pudo, parpadeando y con el corazón desbocado.

—¿Qué...?

La señora Bee estaba plantada en medio de su salón, a unos pasos de ella.

—¡Qué desvergüenza! —exclamó airada.

Phoebe parpadeó de nuevo.

—¿Cómo dice?

Entonces oyó el carraspeo de un hombre, y al girar la cabeza vio que era Jackson y recordó por qué estaba allí. Quien no sabía qué hacía allí era su casera.

—¿Ha venido porque necesita algo? —le preguntó.

La anciana señora resopló con desdén y mirándola de arriba abajo le espetó:

—Yo diría que es usted quien necesita algo.

Phoebe bajó la vista y se dio cuenta de que seguía en camisón. Se apresuró a subirse el tirante y se mordió el labio, azorada.

—¡Lo que necesita es una buena dosis de moral, jovencita! ¿Qué hace este hombre en su apartamento?

—Esto... yo... —balbuceó Phoebe, intentando ordenar sus pensamientos.

Jackson se acercó y le arrojó algo que cayó en su regazo; era su bata.

—Señora Bee, estoy seguro de que no tengo que recordarle que Phoebe puede recibir las visitas que quiera en su apartamento.

—¿Visitas? —repitió la anciana indignada—. ¿Una visita a estas horas de la mañana?

Phoebe, que había acabado de ponerse la bata, le puso una mano en el brazo a Jackson y le sonrió, para que dejase que se ocupara ella.

—¿Le parece que hablemos luego, señora Bee? Ha sido una noche movidita y estoy agotada, así que...

—¡Qué desfachatez!, ¡una noche movidita, dice!

Jackson dio un paso hacia la casera.

—Mire, señora Bee, si no le importa, yo también estoy rendido después de varias horas de faena, de modo que...

—¡Después de varias horas de faena! ¿Así es como lo llaman ahora? ¡Qué desvergüenza!

Aquello había ido demasiado lejos. Phoebe se puso de pie y le espetó:

—No sea ridícula. A lo que se refería Jackson es a que viene de trabajar; trabaja de noche. Y yo llevo toda la noche despierta porque Rex no paraba de llorar.

Se giró hacia la cuna y se puso de puntillas para ver si el pequeño seguía dormido a pesar del alboroto. Por suerte no se había despertado.

La señora Bee cruzó los delgados brazos sobre el pecho.

—¿Y entonces qué está haciendo aquí este hombre tan temprano?

Phoebe resopló irritada.

—Vino a traerme un café; nada más.

La casera gruñó, como si no estuviera muy convencida, y Phoebe tuvo que hacer un esfuerzo para esbozar una sonrisa educada y preguntarle.

—¿Y usted?, ¿ha venido porque quería usted algo?

—He venido porque me preocupa ese niño.

Phoebe suspiró.

—Agradezco su preocupación, señora Bee, pero...

—Hay noches en las que me cuesta conciliar el sueño pensando en su situación.

¡Que le costaba conciliar el sueño, decía!, pensó Phoebe. ¿Y ella que se había pasado toda la noche en sin dormir?

—¡Una mujer no debería criar sola a un niño! —sentenció la señora Bee.

El tono estridente de la anciana acabó por despertar a Rex, que salió llorando de repente a pleno pulmón. Phoebe corrió hacia la cuna y se tropezó con Jackson, que había llegado antes.

—¿Le toca el biberón? —le preguntó él, levantando al bebé de la cuna.

Ella asintió.

—Sí, pero tengo que hacérselo con el nuevo preparado.

Ignorando por completo a la señora Bee, fueron los dos a la cocina y prepararon el biberón lo más rápido posible para apaciguar cuanto antes a Rex, que se calmó por fin cuando Phoebe lo tomó en brazos y le acercó la tetina del biberón a la boca.

Para sorpresa de Phoebe, Jackson le hizo levantar al bebé un poco más e inclinar un poco más también el biberón.

—Así se le harán menos gases —le dijo, mirando al bebé en vez de a ella—. Y puede que también ayude con lo de la indigestión.

Volvieron al salón, y Phoebe se sentó en el sofá y miró a la señora Bee, que seguía de pie donde la habían dejado, con las manos entrelazadas.

—¿Lo ves, querida? —le dijo con un suspiro—. Eso es lo que quería decir. Así es como debería ser: un padre y una madre. Eso es lo que un bebé necesita.

Phoebe frunció el ceño y le espetó:

—A veces, por desgracia, el bebé no tiene esa suerte.

Jackson le puso una mano en el hombro y se lo apretó suavemente, como dándole su apoyo.

—Lo sé —contestó la casera—, pero un bebé se merece algo más que una joven que ni siquiera es familia suya y que no sabe ni cuidarlo como es debido.

Una ola de pánico invadió a Phoebe y el estómago le dio un vuelco. No, sí que era familia de Rex. De hecho, Rex era la única familia que le quedaba. El último miembro de la que había sido una maravillosa familia, con la que había sido muy feliz, antes de que murieran su madre y su padrastro, John.

John Finley había sido como un padre de verdad para ella, y la había adoptado y había cuidado de ella por el gran amor que había profesado a su madre. La clase de amor que ella se había jurado que encontraría algún día.

Ese amor aún no había aparecido, pero tenía la impresión de que el destino había puesto a Rex en su camino, y estaba dispuesta a darle a él todo su amor.

—De hecho, sigo pensando en llamar a los servicios sociales —añadió la señora Bee.

—¿Qué? —preguntó Jackson con aspereza—. ¿Pero qué está diciendo?

Phoebe tragó saliva. Durante días había estado intentando convencerse de que las amenazas de su casera no iban en serio, pero estaba empezando a preocuparse de verdad.

La anciana apretó los labios y respondió:

—Digo que quizá sea mi deber dar parte de lo inusual de las circunstancias.

—¿Las circunstancias? —repitió Jackson anonadado—. ¿Los servicios sociales? —casi escupió las palabras.

Phoebe le puso una mano en el brazo.

—Está bien, Jackson, no...

—No, no está bien —la cortó él muy serio—. No está bien querer apartar a un niño de alguien que lo quiere.

La expresión de la señora Bee no se suavizó en absoluto.

—Ella no es su madre.

—Ese niño no tiene madre —le recordó Jackson—. Pero tiene a Phoebe, que le quiere y está cuidando de él lo mejor que puede.

Aunque sus palabras la conmovieron, Phoebe lo miró preocupada. Irradiaba una emoción extraña y muy fuerte, y había algo en sus ojos, como si estuviese reviviendo algo doloroso.

—¿Jackson? —lo llamó con suavidad, tocándole de nuevo el brazo.

Él siguió tenso un momento, pero luego la miró y pareció calmarse un poco antes de sentarse a su lado.

—De todos modos —le dijo a la señora Bee en un tono más amable—, toda esta conversación es innecesaria.

Phoebe lo miró contrariada, y la casera frunció el ceño.

—¿Qué quiere decir? —le preguntó recelosa.

Jackson le pasó a Phoebe el brazo por la espalda y cerró la mano sobre su hombro.

—Lo que quiero decir es que Rex ya tiene la clase de hogar estable que necesita, como usted dice, con un padre y una madre. Bueno, o lo tendrá.

Phoebe parpadeó, y la señora Bee volvió a fruncir el ceño.

—¿Se puede saber a dónde quiere ir a parar?

—Lo que intento decirle es que Phoebe y yo vamos a casarnos.

—¿Se puede saber en qué estabas pensando? —le espetó Phoebe a Jackson cuando se quedaron a solas.

Jackson se frotó la nuca con la mano.

—Pues... —no podía hablarle del pasado, de lo que le había ocurrido; nunca hablaba de eso. Ni siquiera pensaba en ello si podía evitarlo—. Bueno, he conseguido que se fuera, ¿no?

Phoebe se quedó mirándolo de hito en hito.

—Sí, ¡que se fuera pensando que estamos juntos y que hemos estado manteniéndolo en secreto! ¡Eso, y que esta tarde vamos a ir al juzgado para que nos casen!

Jackson volvió a frotarse la nuca.

—Es que cuando nos preguntó por la fecha de la boda pensé que cuanto antes mejor, que así dejaría de darte la lata.

—Pero es que esto es una locura —murmuró Phoebe, acariciando el suave pelo de Rex.

—Lo he hecho por él —contestó Jackson en un tono quedo.

Por el bebé... y por ella también. Porque años atrás él se había encontrado en una situación muy similar.

Phoebe dejó caer los hombros y suspiró.

—¿Y ahora qué se supone que vamos a hacer?

Jackson había estado dándole vueltas a eso desde el mismo instante en que él le había hecho aquel anuncio tan chocante a la señora Bee. Había sido un impulso quijotesco, de salir en defensa de la dama y el pequeño en apuros.

—Hablemos de la señora Bee. ¿No dirías que está un poco chalada, además de ser una maniática?

Phoebe puso los ojos en blanco.

—Eso es decir poco. Cuando se le mete algo entre ceja y ceja no lo deja estar. Es obsesiva. Y eso es lo que me preocupa —dijo angustiada.

—Está bien, lo entiendo, pero vamos a analizar esto de un modo calmado. A ver, ¿hasta dónde crees que sería capaz de llegar?

Phoebe se encogió de hombros.

—¡A saber!, pero si llamara a los servicios sociales desde luego no les daría muy buena impresión cuando me preguntasen dónde está el padre de Rex y tuviese que responderles que no lo sé.

—Eso pensaba yo —Jackson se frotó las palmas de las manos contra las rodillas—. Y si quieres conseguir la custodia...

—Es lo que quiero, si Teddy está de acuerdo.

Jackson asintió.

—Pues entonces tienes que asegurarte de que la señora Bee no llame a los servicios sociales.

—Ya. ¿Y qué sugieres? —Phoebe sacudió la cabeza—. Porque no vamos a casarnos... —tragó saliva y lo miró—, ¿verdad?

Jackson esbozó una sonrisa forzada.

—Ahí es donde espero que juegue a nuestro favor el que esté un poco chalada. Parecía satisfecha cuando se ha ido, ¿no?, solo con decirle que nos íbamos a casar. Pues esta tarde salimos, volvemos, sonriendo como si fuésemos una pareja de felices recién casados, y le decimos que ya está hecho.

Phoebe gimió y contrajo el rostro.

—¿Me tomas el pelo? ¿Quieres que le contemos una mentira? No se lo creerá; estoy sentenciada.

Jackson sacudió la cabeza.

—Te prometo que funcionará.

—Pero...

Jackson le puso una mano en la boca para evitar más protestas.

—Dentro de un mes me marcharé, y para entonces tu hermanastro y tú ya habréis llegado a algún acuerdo respecto a Rex. O si no al menos tendrás un mes para buscar otro apartamento de alquiler si al final fuera necesario. En cualquier caso, te apuesto lo que quieras a que para entonces la señora Bee ya tendrá alguna otra fijación y te habrá dejado tranquila.

—¿Pero qué le diremos a la gente? ¿Cómo se supone que debemos actuar frente a los vecinos?

Jackson se encogió de hombros.

—Eso lo dejo a tu elección. Yo, por mi parte, pienso seguir viviendo mi vida como hasta ahora.

—¿Como hasta ahora? —repitió ella escéptica, enarcando una ceja.

—Pues claro.

—¿Cómo vas a seguir viviendo como hasta ahora si se supone que te has casado y estás a cargo de un niño?

Capítulo 4

JACKSON se sentía satisfecho de haberse salido con la suya. A pesar de las dudas de Phoebe, habían conseguido engañar a la señora Bee. Los había despedido alegremente cuando habían salido, y había sido lo bastante discreta como para no ir a molestarlos a su regreso.

Habían pasado unas horas, y estaba sentado en el alfeizar de la ventana abierta de su dormitorio, disfrutando de una taza de café y admirando la puesta de sol. En vez de ir al juzgado, como le habían dicho a su casera, habían ido al centro comercial y, mientras Phoebe se paseaba con Rex en su carrito por las tiendas de ropa y productos de belleza, él se había sentado a tomarse un helado en la terraza de una cafetería.

Aunque estaba agotado porque a esa hora solía estar durmiendo, había algo en el aire que lo tenía en tensión, como un mal presentimiento.

De pronto, por el rabillo del ojo, vio algo moverse y giró la cabeza. Era Phoebe, que según parecía también había decidido disfrutar de la puesta de sol. Al principio pensó que iba a hacer como él, sentarse en el alfeizar, con la espalda apoyada en el hueco de la ventana, pero luego la vio sacar las piernas y apoyar los pies descalzos en el tejadillo del segundo piso antes de colocarse bien la falda del vestido, que le quedaba un poco por debajo de las rodillas.

Jackson tomó otro trago de café, y un aroma de lo más tentador llegó hasta él. Le lanzó una mirada furtiva a Phoebe, y vio que había abierto un tarro de crema hidratante y que estaba poniéndosela en el brazo.

Sintió una repentina ola de calor en la entrepierna y reprimió un gruñido de frustración. Debía de estar muy mal para excitarse solo con oler una crema hidratante y ver de reojo a una mujer untándosela en el brazo. Estaba levantándose para volver dentro cuando la voz de Phoebe lo detuvo.

—No te vayas —le dijo.

Él se quedó paralizado.

—Solo estaba tomándome un café —balbució—, y ya me lo he acabado.

—¿Verdad que hace una tarde preciosa?

Los ojos de Jackson se posaron sin querer en la grácil curva de su brazo.

—Sí, pero... debería irme ya.

—Quédate solo un rato más —le pidió ella—. Todavía estoy un poco nerviosa, pero supongo que no tengo por qué estarlo, ¿no? Seguro que todo va a ir bien.

Jackson supuso que con «todo» se refería a su falso matrimonio y asintió con un gruñido y volvió a sentarse mientras Phoebe alargaba una mano para ponerse crema en el tobillo.

Sí, todo iría bien mientras pudiese evitar momentos como aquel, pensó tragando saliva.

—No sé cómo darte las gracias. Rex y yo te debemos tanto...

Su cálida voz, y verla masajeándose la pierna estaba volviéndolo loco.

—No me debéis nada —replicó con aspereza.

Phoebe tomó otro poco de crema y se levantó el vestido para ponérsela en la rodilla y la parte superior del muslo.

—Pues claro que sí —insistió—. A lo mejor podrías venir un día a cenar.

Jackson apretó los dientes. ¿Acaso no le había dejado claro que a pesar de aquella pantomima iba a seguir con su vida de siempre? Además, lo que su cuerpo estaba diciéndole era que necesitaba darse un buen revolcón, no cenar con una mujer que tenía a su cargo a un bebé, por amor de Dios.

—No.

—Gracias —contestó ella.

Jackson frunció el ceño. ¿Estaba dándole las gracias por declinar su invitación?

—¿Cómo?

—Que al menos podrías haber dicho: «No, gracias, Phoebe, preferiría no cenar contigo» —respondió ella en un tono neutral que sonó algo forzado.

Estupendo, acababa de herir sus sentimientos.

—Escucha, Phoebe, yo...

—No, escucha tú —lo cortó ella—. Hoy me has sacado de un gran apuro, y solo pretendía mostrarte mi agradecimiento. Soy una buena cocinera.

Jackson se sintió como una rata.

—Sé que eres una cocinera estupenda; esos muffins que me trajiste estaban buenísimos, pero te he dicho que no porque... bueno, porque estoy intentando hacerte un favor, eso es todo.

Con la falda del vestido ya peligrosamente subida, las manos de Phoebe se detuvieron.

—¿Qué quieres decir?

Jackson tragó saliva e hizo un esfuerzo para apartar la vista de sus piernas desnudas.

—Pues que trabajo de noche y llevo una vida de nómada; lo de socializar no es lo mío.

—Solo pretendía prepararte una cena casera, no llevarte a cenar al Ritz o algo así —apuntó Phoebe.

Jackson no pudo evitar que se le fuesen los ojos de nuevo, y se fijó en que tenía un pequeño lunar en el muslo.

—Aun así no me parece una buena idea.

—Vas a hacer que piense que no te caigo bien —murmuró ella. Se quedó callada un momento—. ¿O es por Rex? —preguntó.

Se estaba acercando peligrosamente a la verdad.

—¿Podríamos olvidarlo? —le pidió—. Lo mejor sería que...

Phoebe estaba masajeándose la pierna otra vez con lánguidos movimientos de la mano, y a él se le estaban fundiendo las neuronas. Se apresuró a apartar la vista, y al mirar el cielo rojizo volvió a asaltarlo aquella sensación de que iba a ocurrir algo.

Abajo, en el pequeño jardín de la parte trasera de la casa, un gato pardo miraba a su alrededor con aprehensión, como si él también estuviese presintiendo una amenaza invisible.

O quizá fuese solo su imaginación. Quizá esa sensación incómoda que tenía se debía a los sentimientos contradictorios que Phoebe y el pequeño Rex provocaban en él. Estaba mejor solo, se dijo, y se levantó y se apartó de la ventana antes de que ella pudiera detenerlo de nuevo.

Justo en ese momento oyó un estruendo en la cocina, como si se hubieran caído varias cosas al suelo. Iba a ir para allá cuando el suelo tembló bajo sus pies. ¡Un terremoto! El corazón le dio un vuelco al pensar en Phoebe, y se preocupó también por Rex.

Se giró hacia la ventana y gritó:

—¡Phoebe, vuelve dentro y mantente lejos de las ventanas!; ¡ve a por Rex!

Los cristales vibraron mientras corría hacia la puerta de entrada, pero no había nada en las paredes de su apartamento que pudiera caerse. En cambio en el de Phoebe...

Abrió la puerta, salió, y aporreó la de ella.

—¡Sal al pasillo! —la llamó—. Aquí es donde estaremos más seguros.

El pulso le martilleaba en la garganta al ver que pasaban los segundos y la puerta no se abría. No se oía a Rex, y Jackson no sabía si era la ansiedad que sentía, o si el suelo seguía temblando bajo sus pies. Con un sudor frío en la nuca, volvió a aporrear la puerta e intentó girar el pomo, pero no sirvió de nada.

—¡Phoebe, por amor de Dios, di algo!

La puerta se abrió y apareció Phoebe con el bebé en brazos.

—¡Shh! —le chistó—. Está dormido.

De inmediato el suelo dejó de temblar, o eso le pareció a Jackson, y se dio cuenta de que lo que sí temblaban eran sus manos. Se quedó mirando a Phoebe y a Rex, y lo inundó un alivio tan tremendo que casi se sintió mareado. Tragó saliva y murmuró:

—Estáis bien.

Phoebe asintió.

—Solo se ha caído una foto de la pared y se ha roto el cristal.

Jackson bajó la vista a sus pies desnudos y se le revolvieron las entrañas de nuevo.

—Deberías haberte puesto unos zapatos —la increpó.

—No hacías más que gritarme para que saliera —le respondió ella con toda la razón del mundo.

Enfurruñado, Jackson entró en el apartamento de Phoebe y comprobó los daños. Como ella había dicho, se había caído una fotografía enmarcada de la pared, y tan pronto como encontró las sandalias Phoebe y se las tendió para que se las pusiera, fue a por una escoba y un recogedor para barrer los trozos de cristal.

—Vuelvo a estar en deuda contigo —le dijo ella con una sonrisilla.

Jackson gimió para sus adentros. Eso era lo último que quería, su gratitud. Y detestaba como se le había disparado el pulso cuando lo había asaltado el temor de que Rex o ella pudieran estar heridos.

De pronto sonó su móvil, y agradeció la interrupción. Cuando hubo contestado la llamada, colgó y le dijo a Phoebe:

—Tengo que ir a comprobar un par de cosas en el sitio en el que estamos trabajando.

Ella asintió y fue a poner a Rex de nuevo en la

cuna. Jackson la siguió con la mirada, pero se obligó a inspirar y apartar la vista. La cuna estaba en un lugar seguro, y no había nada que pudiese caerle encima si había otro terremoto.

—Déjate las sandalias puestas —le dijo a Phoebe—. Y si sientes algún temblor, sal al pasillo, y siéntate en el suelo con Rex en tu regazo.

Ella se volvió hacia él y enarcó las cejas.

—Nací en California, Jackson; sé cuidar de mí misma.

Él no contestó. Tenía razón. Los terremotos eran algo habitual en aquel estado, y por lo general no eran de gran escala, así que no tenían un gran impacto en la vida de sus habitantes. Pero aun así... Fue hasta la mesa del comedor, tomó un papel y un bolígrafo y apuntó su número de móvil.

—Llámame si me necesitas.

Nada más pronunciar esas palabras no pudo creerse lo que estaba haciendo. ¿Cuándo había sido la última vez que le había dado a alguien su número de móvil? Y más chocante aún era que le hubiese dicho: «Llámame si me necesitas». Hacía tiempo que se había jurado a sí mismo que no volvería a implicarse hasta el punto de que alguien acabase dependiendo de él.

Phoebe tomó el papel con el número de Jackson y se quedó mirándolo, presa de una maraña de sentimientos: gratitud, inseguridad, y también preocupación.

Puso el papel bajo un pisapapeles que tenía en la mesa y lanzó una mirada a la cuna, donde Rex seguía durmiendo, ajeno a todo lo que había ocurrido.

Pensó en lo mucho que se había preocupado Jackson. Incluso había pasado miedo por Rex y por ella. Lo había visto en sus ojos.

A todo el mundo le mostraba esa fachada de hombre duro y solitario, pero luego era un buenazo que se preocupaba, y mucho, por los que lo rodeaban. Aquello no tenía sentido.

Claro que tampoco lo tenía la fuerza con la que había palpitado su corazón cuando había abierto la puerta de su apartamento y había visto la expresión de su rostro. La había mirado como si de verdad le importara que les hubiera podido pasar algo.

Aquella mirada le había hecho sentir mariposas en el estómago. Le gustaba la idea de tener a un hombre, a Jackson, velando por Rex y por ella.

Sin embargo, teniendo en cuenta que Jackson iba a estar muy poco tiempo en Strawberry Bay, y que su prioridad era Rex, no sería muy inteligente por su parte acabar dependiendo demasiado de él.

De camino a casa, Jackson iba soñando con una cerveza bien fría. Daba igual que fueran las diez de la mañana. Llevaba horas trabajando y no había podido siquiera echarse una siesta.

Sin embargo, mientras conducía, estaba tan cansado que decidió que lo que iba a hacer en cuanto llegara era meterse en la cama.

Aparcó frente a la casa, aliviado de haber sido capaz de llegar sin dormirse al volante, y subió entre bostezos las escaleras.

Una puerta del primer piso se abrió, y salió Melinda, que obviamente se iba a trabajar, porque iba vestida con su uniforme de enfermera. Jackson la saludó brevemente y siguió subiendo las escaleras.

—Jackson, espera un momento —lo llamó ella.

Él gruñó para sus adentros, pero se detuvo.

—¿Sí?

La mujer frunció las canosas cejas y le dijo:

—Creí que querrías saber que... —a través de su puerta abierta se oyó el ruido de un teléfono sonando—. Que querrías saber que... —el teléfono volvió a sonar—. Perdona, pero voy a tener que ir a contestar. Si esperas un...

—Déjalo; ve tranquila. Ya me lo dirás luego —la interrumpió él con un bostezo.

Y sin esperar a que Melinda respondiera, siguió subiendo las escaleras. Llegó al tercer piso, y fue hasta la puerta, que estaba entreabierta. Aquello debería haberlo sobresaltado, pero estaba tan cansado que se quedó plantado ante ella, como idiotizado, escuchando las voces que se oían dentro. Hasta que vio su bolsa de lona en el suelo, apoyada en la pared entre su puerta y la de Phoebe.

No había llegado a deshacerla, pero ¿con que derecho...? Abrió la puerta del todo, entró y encontró en el salón a la señora Bee, acompañada por una pareja de mediana edad. La casera se volvió hacia él con una sonrisa de oreja a oreja y exclamó:

—¡Sorpresa! ¡Acabo de resolver todos sus problemas!

Jackson frunció el ceño contrariado, y de pronto comprendió qué estaba pasando allí. Aquella pareja iba a instalarse en su apartamento, y la señora Bee se había tomado la libertad de sacar de allí sus pocas pertenencias. Lo cual tenía cierta lógica, teniendo en cuenta que, dado que se suponía que Phoebe y él se habían casado, se mudaría con ella a su apartamento.

—Así incluso puedo reembolsarle el resto del alquiler de este mes, ¿qué le parece? —le dijo la señora Bee, mostrando muy ufana su dentadura postiza.

A Jackson no le parecía nada bien, por supuesto, pero ¿qué iba a decirle?

La casera debió de interpretar su silencio como conformidad, porque su sonrisa se tornó pícara y le dijo:

—Vamos a darle la buena noticia a su esposa; ¡estoy impaciente por ver qué cara pone!

Jackson podía imaginarse qué cara iba a poner, sobre todo después de que le hubiese asegurado que nada tenía por qué cambiar a pesar de su supuesto matrimonio.

—¿Ocurre algo? —le preguntó la casera, entornando los ojos.

Jackson tuvo la sensación de que la señora Bee era más astuta de lo que parecía, y se preguntó si sospechaba que la habían engañado.

—No, nada —respondió él, y se agachó para recoger la bolsa del suelo antes de llamar a la puerta de Phoebe con los nudillos.

Cuando esta abrió la puerta, intentó avisarla con la mirada, pero ella no pareció captar el mensaje porque solo lo miró un segundo antes de mirar a la señora Bee.

—Ah, hola, señora Bee... ¿Quería usted algo? —inquirió vacilante.

No era la clase de recibimiento que una esposa le daría a su marido que volvía del trabajo.

—¡Hola, cariño! —la saludó él calurosamente—. Ni te imaginas lo que vamos a contarte.

Phoebe estaba tan perpleja que ni siquiera abrió la puerta del todo para hacer la pantomima de dejarle pasar.

—¿El qué? —le preguntó ella con recelo.

—La señora Bee ha conseguido encontrar a una pareja interesada en alquilar mi apartamento.

Phoebe frunció el ceño.

—¿Eh?

Él hizo un esfuerzo por parecer loco de contento.

—Así ya podemos vivir juntos sin tener que pagar dos alquileres.

La señora Bee se cruzó de brazos.

—¿Qué es lo que le ocurre, jovencita?, ¿no va a dejar que entre su marido en casa?

—¿Cómo? Ah, claro que sí —respondió Phoebe, aún contrariada, abriendo la puerta del todo—. Pasa, Jackson —bajó la vista a su bolsa de lona—. ¿Qué es eso?

Él volvió a sonreír como un tonto.

—¿Qué va a ser, mi vida? Pues las pocas pertenencias que tengo. Por fin me mudo contigo de verdad, tal y como querías. Y es gracias a la señora Bee; justo llegaba y he visto que los nuevos inquilinos ya estaban instalándose en mi apartamento.

Al bajar la vista a la mano de Phoebe, aún sobre el pomo, vio que se le habían puesto los nudillos blancos.

—¡Vaya!, ¡qué sorpresa! —balbució.

—Esa es justo la palabra que usó la señora Bee —le dijo él, mirándola a los ojos.

Phoebe tragó saliva, esbozó una sonrisa forzada y se volvió hacia la casera.

—¿Cómo podremos agradecérselo lo bastante?

La casera se relajó visiblemente, y Jackson tuvo la sensación de que no se equivocaba, que los había puesto a prueba.

Rex, al que Phoebe había colocado en su cuco sobre la mesa, junto a su ordenador, empezó a balbucear en ese momento, y la casera se acercó a hacerle carantoñas.

Aprovechando la ocasión, Phoebe se volvió hacia él y le siseó:

—¿Qué ha pasado?

Jackson se frotó la nuca con la mano.

—Lo que te he dicho; no podemos hacer nada —le contestó, por lo bajo también.

—¿Cómo que nada? No voy a... No podemos... —cerró los ojos un instante y al abrirlos murmuró—: Por favor, dime que estoy soñando y que esto no está pasando de verdad.

—¿Le ocurre algo, querida? —inquirió la señora Bee, acariciándole la cabeza a Rex antes de volver con ellos.

—No, es que estoy... abrumada por la emoción —replicó Phoebe con una sonrisa.

—Ya sabe cómo somos los recién casados; parece que estuviéramos en una nube —intervino Jackson.

Cuanto antes se libraran de la casera, mejor. Necesitaba dormir, y cuando hubiese dormido lo suficiente como para reponerse, ya se le ocurriría una solución.

La señora Bee ladeó la cabeza.

—La verdad es que hacen una pareja muy bonita.

Jackson captó la indirecta de inmediato y le rodeó los hombros con el brazo a Phoebe.

—Sí, bueno, fue una atracción instantánea. ¿A que sí, cariño?

Phoebe se apresuró a asentir y una sonrisa iluminó el rostro de la señora Bee.

—Me encantan las historias de amor, oír a las parejas hablar de lo que encontraron el uno en el otro. ¿Qué la atrajo a usted de él? —le preguntó a Phoebe.

Esta parpadeó y tragó saliva.

—Vamos, cariño, no seas tímida —la instó Jackson.

—Pues... tu sonrisa, por supuesto, y lo bien que se te dan los niños —comenzó ella en un tono suave—. Y esa vena humorística que sale cuando una menos se lo espera.

—Vaya, gracias —murmuró él aturdido, y tuvo que aclararse la garganta.

La señora Bee suspiró, y les dijo:

—Bueno, les dejo ya, porque querrán estar solos, pero no sin que me den al menos una pequeña muestra de lo que me perdí.

Jackson frunció el ceño.

—¿Qué es lo que se perdió?

—¡El beso nupcial, claro está!

Phoebe dio un respingo y Jackson abrió la boca para negarse, pero luego pensó que, si era él quien los había metido en aquel lío, era a él a quien le correspondía sacarlos de él. Y la forma más fácil de hacerlo era complacer a aquella vieja urraca, así que se encogió de hombros y dijo con una sonrisa:

—Claro, ¿cómo no?

Se volvió hacia Phoebe, y al inclinarse le susurró:

—Solo será esta vez.

Iba a hacer poco más que rozar su boca, pero el contacto le provocó un cosquilleo casi eléctrico. Phoebe debió de sentir algo parecido, porque entreabrió los labios, como sorprendida, y el olor mentolado de su aliento hizo que apretara suavemente su boca contra la de ella. Volvió a sentir ese cosquilleo eléctrico de nuevo, y una ola de calor afloró en su entrepierna, pidiendo algo más.

Phoebe le rodeó el cuello con un brazo, y un gemido escapó de su garganta cuando hizo el beso más profundo. A lo lejos se oyó el chasquido de la puerta principal al cerrarse, anunciando la retirada de la señora Bee, y Jackson dio gracias a Dios para sus adentros.

Capítulo 5

SOBRESALTADA por el ruido, Phoebe despegó sus labios de los de Jackson. Se quedaron mirándose el uno al otro, y Phoebe tragó saliva mientras intentaba recobrar el aliento. Por un momento era como si todo lo que la rodeaba hubiera desaparecido; nunca había experimentado nada igual.

Jackson se aclaró la garganta.

—Una gran actuación —le dijo.

A Phoebe le ardían las mejillas. ¿Actuación? Tragó saliva de nuevo, y trató de frenar los pensamientos que revoloteaban por su mente. Bueno, sí, no había sido más que eso; se habían visto obligados a besarse para contentar a la señora Bee, para que creyera su pantomima.

Aunque nunca había imaginado que pudiera ser tan buena actriz. Casi se había engañado a sí misma y había creído que aquel beso iba en serio. En cuanto a Jackson, él también era un buen actor; incluso en ese momento, después de que el beso hubiese acabado, quedaba en sus ojos un rescoldo de pasión. Sintiéndose nerviosa de repente, dio un paso atrás, y su pie se topó con algo. Al bajar la mirada y ver que era la bolsa de lona de Jackson, se acordó del desafortunado giro que había tomado su ya de por sí complicada situación, y se olvidó por un momento del beso.

—¿Qué vamos a hacer ahora? —le preguntó—. No nos queda otra que vivir juntos, ¿no?

Jackson se frotó la nuca con la mano y luego la cara.

—No lo sé, yo...

—¿Estás bien? —le preguntó Phoebe, que no se había fijado en ese momento de lo pálido que estaba, y las ojeras que tenía.

—Sí, es que estoy agotado. Necesito dormir un poco; seguro que luego se me ocurre cómo arreglar esto.

Phoebe suspiró.

—De acuerdo, ya hablaremos cuando hayas descansado.

—Gracias. Me echaré un rato en el sofá.

—¿Cómo vas a dormir en el sofá? Estarás muy incómodo; además, yo tengo que trabajar y no quiero molestarte. Será mejor que te acuestes en el dormitorio.

Jackson vaciló.

—¿No tendrás por casualidad un saco de dormir, no?

—Me temo que no; solo la cama.

Phoebe tragó saliva al imaginarlo en su cama, y de pronto se encontró reviviendo el beso en su mente.

—Pero mis sábanas no tienen piojos, te lo prometo —añadió.

Jackson no se rio. No era que hubiera esperado que se riera, pero si se hubiera reído quizá se hubiese sentido menos incómoda con la idea de que un hombre fuese a dormir en su cama.

—De acuerdo; solo será esta vez —dijo él—. ¿Te importa si me doy antes una ducha?

—No, claro que no; espera un momento.

Mientras ponía sobre el mueble del lavabo unas toallas limpias para Jackson, se alegró por haber descolgado, hacía un par de horas, la ropa interior del pequeño tendedero que solía poner en el cuarto de baño.

—¡Ya está!, ¡ya puedes venir! —lo llamó cuando se hubo asegurado de que estaba todo como debía.

Y justo cuando iba a salir casi se chocó con Jackson, que parecía haber estado esperando junto a la puerta. Traía una muda de ropa en las manos, se había quitado las botas y los calcetines, y ya se había desabrochado la camisa.

De pronto a Phoebe el cuarto de baño le pareció más pequeño de lo que era, y le entró tanto calor como si estuviesen en una sauna.

Nerviosa, tragó saliva y se humedeció los labios.

—Bueno, pues te dejo —murmuró rehuyendo su mirada.

—Phoebe, en cuanto a lo de antes...

Ella sabía que se refería al beso, y no le parecía que fuese una buena idea hablar de eso.

—¿Te refieres a nuestra actuación?

Jackson carraspeó.

—Sí, eso es —asintió—. Estoy seguro de que la señora Bee se ha quedado contenta.

Phoebe empezó a pensar de nuevo en el beso, y un cosquilleo le recorrió la piel. No recordaba que un beso la hubiese hecho jamás sentirse así. Tal vez era que nunca le habían dado un beso de verdad.

Jackson se aclaró la garganta.

—Lo que quiero decir es que no deberíamos tener que volver a hacerlo.

—Ah, bien —contestó ella sonrojándose.

Jackson volvió a aclararse la garganta.

—Y cuando haya dormido un poco... se me ocurrirá un plan —repitió, como si no se lo hubiera dicho antes.

Eso esperaba, porque no pudo evitar que se le fueran los ojos a sus labios, ni que su mente empezara a fantasear con que volviera a besarla. Un plan... Y no más besos. Sí, dos ideas estupendas, porque dudaba que pudiese volver a fingir que el modo en que había reaccionado a aquel beso tan increíble había sido fingido.

Cuando Jackson se despertó y miró su reloj de pulsera vio que eran las cinco y media de la tarde. No podía creerse que hubiese dormido de un tirón todas esas horas. Le llevó un momento recordar dónde estaba: en el dormitorio de Phoebe; en la cama de Phoebe...

Cerró los ojos de nuevo, aspirando el aroma floral que lo rodeaba, y movió las piernas bajo las cálidas sábanas, recordando el beso que habían compartido... Sin embargo, su mente le recordó por qué estaba allí. Y que le había prometido a Phoebe que cuando hubiese descansado se le ocurriría un plan.

Un plan que les permitiera mantener la pantomima de que se habían casado sin que tuvieran que vivir en el mismo apartamento. De pronto se le ocurrió una idea. No podía creer que la solución pudiera ser tan simple.

Podría buscarse un motel, pero dejar algunas prendas de ropa en el apartamento de Phoebe. Y cuando saliera del trabajo, de camino al motel, se pasaría por allí y se quedaría el tiempo suficiente como para convencer a la señora Bee de que estaba viviendo allí. Con eso debería bastar.

Antes de que lo asaltaran las dudas se obligó a levantarse. Hizo la cama, y se puso unos vaqueros y una camisa. Cuanto antes le expusiera su plan a Phoebe, antes podría alejarse de ella, del peligroso influjo y la atracción que ejercía sobre él.

Cuando abrió la puerta y salió del dormitorio Rex estaba durmiendo en su cuna y Phoebe estaba en la cocina, de espaldas a él, rodeada de bolsas de la compra y con un brazo metido en una caja de cartón que tenía sobre la encimera. Llevaba una blusa y unos pantalones cortos, y el brillante cabello castaño le caía sobre la espalda.

Jackson no pudo evitar recordar el tacto sedoso de ese pelo, que había acariciado cuando la había besado. Tragó saliva, apartó la vista e inspiró para intentar centrarse.

Iba a abrir la boca para contarle a Phoebe su idea, cuando la vio sacar de la caja un tarro de cristal, emitir un gemido de repugnancia, y pisar el pedal del cubo de la basura para tirarlo.

De pronto, Jackson reconoció aquel tarro.

—¡Eh! ¡Esas son las aceitunas verdes que tenía en mi nevera! ¿Por qué vas a tirarlas?

Phoebe se volvió hacia él y le dijo mostrándole el frasco con cara de asco:

—Siento ser yo quien te dé la mala noticia, pero en la etiqueta dice que son aceitunas negras, y se han puesto verdes.

—Ah —musitó él azorado.

Phoebe esbozó una sonrisa, a modo de disculpa, y dejó caer el tarro al cubo de la basura. Luego volvió a meter el brazo en la caja y sacó un trozo de pizza seco metido en una bolsa de plástico, que acabó en la basura, como las aceitunas.

—¿Has ido a mi apartamento a vaciar la nevera? —le preguntó.

—No, esta caja la ha traído la señora Bee, junto con otras dos llenas de cosas que quedaban en tu apartamento. Esta solo tiene... bueno, podría llamarlo «comida», pero creo que sería demasiado generoso por mi parte.

La dichosa señora Bee... Ella era la causante del aprieto en el que se encontraban, pero no pudo evitar pagar su enfado con Phoebe.

—Ya me ocuparé yo de eso —le dijo con aspereza.

—No es molestia —contestó Phoebe.

—He dicho que ya lo haré yo —insistió él yendo hasta ella.

Lo incomodaba que Phoebe viera el contenido de su nevera. Era demasiado personal, demasiado... íntimo.

Phoebe se encogió de hombros y empujó la caja por la encimera, deslizándola hacia él. Jackson miró dentro y tuvo que admitir que, como ella había dicho, lo que había allí apenas podía llamarse «comida». Y en ese momento le sonaron las tripas, como si su estómago estuviera de acuerdo.

—Debes de estar hambriento —dijo Phoebe, que se había puesto a sacar las cosas de las bolsas de la compra—. ¿Te preparo un poco de café para empezar?

Lo del café le sonó a gloria, pero no pudo evitar volver a sentirse irritado con Phoebe.

—No tienes que hacérmelo; puedo prepararlo yo.

Phoebe no replicó, sino que abrió un armarito del que sacó un filtro, un tarro con café molido, y le señaló la cafetera.

—¿Tú quieres un poco también? —le ofreció él de mala gana.

Phoebe sacudió la cabeza y siguió sacando las cosas de las bolsas.

—¿Qué vas a tomar con el café? —le preguntó—. He comprado unas cuantas cosas porque no sabía qué te apetecería.

También le había comprado comida... Jackson no recordaba cuándo había sido la última vez que una mujer había hecho eso por él.

—Tampoco necesito que me des de comer —le espetó.

Phoebe lo miró dolida antes de apartar la vista. Jackson cerró los ojos y contó hasta diez, haciendo un esfuerzo por recobrar la calma. No quería hacerle daño; estaba allí porque había intentado echarle una mano, y le había prometido una solución a aquella incómoda situación en la que se encontraban.

¿Y por qué no le decía entonces de una vez lo que había pensado?, se reprendió. Porque temía que a ella no le pareciese bien su idea, que no creyese que con eso bastase para mantener engañada a la señora Bee. Pero no tenía sentido rehuir el tema; tenían que hablar de ello.

—Phoebe...

—Jackson...

Se volvieron el uno hacia el otro y volvieron a hablar al mismo tiempo:

—Deja que... —dijeron al unísono.

Él le puso las yemas de los dedos sobre los labios para interrumpirla. Tenía que decirle lo que había pensado y convencerla de que podía funcionar. No podía quedarse allí con Rex y con ella y hacer como que eran una familia feliz.

Sin embargo, ella apartó su mano y le dijo:

—Déjame hablar; tengo un plan, y es un buen plan. ¿Y si dejas algunas de tus cosas aquí, en mi apartamento, te buscas otro sitio, y vienes un rato cada día para que parezca como si de verdad viviéramos juntos? ¿Crees que la señora Bee se lo tragaría?

Jackson se quedó mirándola. Se les había ocurrido el mismo plan, y debería alegrarse de que a ella también le pareciera una buena idea, pero por alguna razón de repente era él el que estaba dudando.

Phoebe frunció el ceño.

—¿Y bien? —le preguntó—. ¿Qué opinas?

Jackson se metió las manos en los bolsillos y la miró pensativo.

—¿Qué tal se te da mentir?

—¿A qué viene eso?

—A que si hacemos lo que sugieres tendrás que

inventarte excusas si un día de improviso se presenta la señora Bee y te pregunta dónde estoy.

Phoebe se mordió el labio.

—Pues le diré que has ido a comprar algo, o que estás durmiendo. No lo sé, lo que parezca más convincente.

—Es que me preocupa que no puedas mantenerla a raya tú sola.

Phoebe se irguió, como ofendida.

—Por supuesto que puedo —le espetó—. Y si hubiera algún problema, tengo tu teléfono —le señaló la puerta de la nevera, donde estaba el papel en el que se lo había apuntado, sujeto con un imán de una marca de pañales.

Al ver el imán, Jackson se acordó de Rex. También tenían que pensar en el pequeño.

—¿Y qué pasa con el bebé? —le preguntó—. Tú misma has dicho que se me dan bien los niños; ¿y si vuelves a tener problemas con él y no estoy aquí para ayudarte?

Se sentía mal ante la idea de dejarla sola. Quizá podría hacer un esfuerzo y quedarse con ella para echarle una mano con el pequeño. Al fin y al cabo sería solo temporal, y no estaban casados de verdad.

—Podríamos hacer que esto fuera llevadero —añadió—: yo trabajo por las noches, y tú durante el día. No interferiremos en la vida del otro. De hecho, es perfecto.

—¿Perfecto?

Jackson asintió, y Phoebe volvió a morderse el labio.

—Bueno, supongo que sería la manera más eficaz de evitar problemas con la señora Bee —admitió—. Entonces... ¿te quedarás?

—Me quedaré —le contestó él.

Era la primera vez en años que hacía esa clase de promesa.

Como pasaba con cualquier plan, los problemas no aparecían hasta que no se había puesto en marcha.

Jackson había dicho que, por los horarios opuestos que tenían, no interferirían el uno en la vida del otro. ¡Ja! Conviviendo en un apartamento de cuarenta y cinco metros cuadrados, aunque él trabajara por las noches y ella de día, había muchos momentos en los que se producían roces entre ellos.

Phoebe nunca se había considerado una persona que necesitara o deseara estar sola, pero en los últimos días había estado empezando a notarse bastante tensa.

Quizá fuera porque compartían la cama, aunque a horas distintas, el cuarto de baño... Había momentos en los que llegaba a ser enervante. Y tenía la sensación de que esos roces también estaban haciendo mella en él, porque últimamente estaba de un humor de perros.

Para aliviar parte de esa tensión entre ellos, Phoebe había adoptado un horario que hiciera que coincidieran menos. Cuando Jackson llegaba del trabajo, ella se levantaba y él se acostaba. Ella se ponía a trabajar, y luego iba al parque con Rex. Y por la tarde, cuando Jackson se despertaba, ella salía con Rex para comprar alguna cosa que necesitasen, dejándolo solo al menos un par de horas. Y cuando volvía a casa se evitaban el uno al otro lo más posible mientras ella preparaba a Rex para acostarlo, dándole su baño y un biberón.

Y luego tenía otra estrategia que funcionaba bastante bien. Cuando estaba cerca de Jackson tenía una terrible tendencia a olvidar lo que quería decir, o se quedaba mirando fascinada alguna parte de su atractivo físico. A él parecía que lo irritaba, y a ella la llenaba de vergüenza.

Por eso, cuando necesitaba su opinión sobre algo, lo hacía con la puerta del cuarto de baño de por medio. Esperaba a que entrara a ducharse, y cuando le oía cerrar el grifo, le preguntaba lo que quería preguntarle, obligándose a no pensar en que estaba desnudo y chorreando.

Y ese era el motivo por el que en ese momento estaba junto a la puerta cerrada del cuarto de baño, con un hombro apoyado en la pared, Rex en un brazo, y la lista de la compra y un lápiz en la otra mano.

Oyó el chirrido de las llaves del grifo de la ducha, paró el ruido del agua, y luego se oyeron las anillas de metal de la cortina al deslizarse por la barra de la ducha, y las pisadas de Jackson al salir de ella.

Tragó saliva.

—¿Jackson?

—¿Qué ocurre? —inquirió él en un tono tenso, como molesto por la interrupción.

Phoebe miró a Rex y arrugó la nariz, haciendo que el pequeño sonriera.

—Hoy tampoco parece muy contento, ¿verdad? —le siseó.

—¿Cómo? —inquirió Jackson desde dentro del baño—. Oye, ¿has visto mi peine?

Phoebe contrajo el rostro. Esa mañana no encontraba el suyo, y había tomado prestado el de él. A lo mejor sin querer lo había metido en su cajón.

—Eh... Mira a ver en el segundo cajón del mueble del lavabo.

Allí era donde guardaba su cepillo del pelo, horquillas y demás.

Lo oyó abrir y cerrar el cajón.

—¿Lo has encontrado? —le preguntó.

Él asintió con un gruñido.

—Y cuando he entrado en la ducha también me he encontrado unas cuantas de tus... cosas... colgadas en un tendedero.

A Phoebe le ardían las mejillas de vergüenza. Había colgado tres conjuntos de sujetador y braguita y se había olvidado de quitarlos antes de que él entrara. De encaje. En blanco, rosa y negro.

—Vaya, lo siento.

Él farfulló algo malhumorado.

—¿Qué?

—He dicho que no tienes que disculparte, pero a los dos nos iría mejor si mantuvieras el cuarto de baño un poco menos...

—¿Lleno de cosas? —sugirió ella.

—Femenino.

Phoebe sintió que se le subían los colores a la cara de nuevo. Ese era el problema. No había nada de malo en compartir el apartamento con alguien, pero el que fueran un hombre y una mujer hacía que la cosa se complicase. Al principio había pensado que serían capaces de llevarlo como adultos, pero no había contado con las reacciones que se producían cuando la testosterona se topaba con lencería femenina en el cuarto de baño, y los estrógenos con un musculoso torso desnudo.

—Ya. Bueno, lo que iba a decirte es que voy a ir al supermercado a comprar unas cosas. ¿Quieres que te traiga algo?

Hubo un silencio al otro lado de la puerta.

—Te lo he dicho: no tienes por qué hacer eso.

—No es molestia; tengo que ir para mí de todos modos.

—Está bien, si de verdad no te importa, saca el dinero que necesites de mi billetera; está en el bolsillo de atrás de mis vaqueros.

—Ya me lo pagarás luego.

—Ni hablar. El cheque que te di para pagar mi parte del alquiler sigue al lado de tu portátil.

—No quiero tu dinero.

Jackson resopló.

—No seas tonta, Phoebe, esto ya lo hemos discutido.

—Muy bien, pues no discutamos de nuevo —respondió ella, que estaba empezando a irritarse también.

—Phoebe, yo también vivo aquí.

Por su culpa; estaba viviendo allí por su culpa, respondió ella para sus adentros. Porque estaba ayudándola para que los servicios sociales no se llevasen a Rex. Por eso no podía aceptar su dinero, y por eso estaba esforzándose tanto para que la convivencia entre ellos funcionase. Por eso necesitaba acabar la dichosa lista de la compra y marcharse lejos de él un par de horas.

—Mira, te prometo que cuando vuelva te daré el tique para que puedas pagarme y tu conciencia se quede tranquila —le dijo—. Ahora dime qué...

La puerta del baño se abrió de repente, y Phoebe, que no se lo había esperado, se quedó mirando boquiabierta a Jackson, que emergió de una nube de vapor, con tan solo una toalla liada a la cintura.

—Me he olvidado la ropa en el dormitorio —le dijo.

Phoebe balbuceó algo incoherente, y cuando él dio un paso hacia ella, retrocedió por instinto. Sin embargo, él continuó avanzando hacia ella, y fue entonces cuando Phoebe se dio cuenta de que a quien estaba mirando era a Rex, que estaba agitando las piernas entusiasmado, como cada vez que lo veía aparecer.

Jackson le acarició el moflete con un nudillo.

—Últimamente se le ve muy contento —dijo.

Phoebe tragó saliva.

—Creo que es por el nuevo preparado que uso para el biberón. Parece que el que usaba antes no le sentaba bien al estómago, como dijo Melinda.

Inspiró, en un intento por calmarse, pero fue un error, porque lo que aspiró fue el olor a champú, gel de baño y pasta de dientes que emanaba Jackson; una combinación embriagadora. Mantuvo la vista en el suelo, para no mirarlo, pero cuando finalmente volvió a levantar la cabeza y sus ojos se encontraron, la recorrió un cosquilleo y de pronto pareció que le costara respirar.

—Cereales, zumo de naranja y una caja grande de barritas energéticas —dijo Jackson.

—¿Qué? —murmuró ella aturdida.

—Es lo que necesito que me traigas del supermercado —le aclaró él—. ¿Estás bien?

Phoebe parpadeó.

—Claro. Es solo que...

—Es por esto que flota entre nosotros, ¿no? —apuntó Jackson, señalándola a ella y luego a él con un ademán.

El pánico se apoderó de Phoebe. ¿Debería admitir que era verdad, o debería negarlo?

—¿El qué? Yo no he notado nada.

Él reprimió una sonrisilla, pero Phoebe decidió seguir haciéndose la sueca. Si admitía que se sentía atraída por él podría ser peor.

—Solo estamos teniendo los problemas normales de convivencia que tienen dos personas que viven juntas —le dijo con mucha seguridad—. ¡Vamos, de hecho, si lo piensas, parecemos una pareja de esas que llevan años casados! En los últimos días... en los últimos minutos... hemos discutido por la ropa colgada en el baño, por la lista de la compra, y por el dinero.

—Tiene gracia —dijo él riéndose—. ¡Y yo que creía que esa clase de parejas solo discutían de sexo!

La sola mención de aquella palabra y el sonido tan sexy de la risa de Jackson hicieron que Phoebe enrojeciese hasta las orejas. Se despidió de él a toda prisa, puso a Rex en el carrito y salió por la puerta. Tenía que hallar la manera de controlar aquella dichosa atracción. O mejor, de hacerla desaparecer por completo.

Capítulo 6

PHOEBE estaba teniendo otra conversación con él a través de la puerta. Jackson limpió con la mano el vapor del espejo del baño, miró su reflejo entre exasperado y divertido, y se encogió de hombros. Mientras ella hablaba de sus planes para esa tarde, sacó de su neceser la espuma de afeitar y la maquinilla.

—¿Qué me dices? —le preguntó Phoebe.

—¿Sobre qué? —respondió él, extendiendo la espuma por la cara.

—Ya has desconectado otra vez en lugar de escucharme, ¿verdad?

Jackson sintió una punzada de culpabilidad mientras tomaba la maquinilla y empezaba a afeitarse. Tenía que admitir que lo hacía con bastante frecuencia. Igual que intentaba ignorar el aroma de su perfume y su curvilínea figura, inconscientemente también trataba de escapar del embrujo de su dulce voz. Por no hablar del recuerdo del beso que habían compartido, que lo asaltaba hasta en los momentos más inoportunos, como cuando estaba trabajando.

—¿Jackson?

Cuando la voz de Phoebe lo sacó de sus pensamientos se le fue la mano en la que tenía la maquinilla y se hizo un corte junto a la boca.

—¿Estás bien? —le preguntó ella al oírlo maldecir entre dientes.

—No podría estar mejor —masculló él.

—Bueno, ¿y qué dices entonces? ¿Quieres venir conmigo a la barbacoa?

Jackson frunció el ceño, pero entonces se acordó de que Phoebe se lo había mencionado antes, que el grupo de madres con las que se reunía en el parque iban a hacer una barbacoa a la que cada uno llevaría algo de comer.

—Tengo que trabajar —respondió.

—¡Venga ya!, ¡si es sábado! Me dijiste que librabas los fines de semana.

—Es igual; esta tarde voy a estar ocupado —contestó él mientras se quitaba la espuma de la cara.

Como todavía estaba sangrando, cortó un trozo de papel higiénico y lo apretó contra el corte.

—¿Ocupado con qué? —le preguntó ella en un tono escéptico.

Jackson suspiró.

Ocupado evitándola, ¡por amor de Dios! Ella había intentado quitarle importancia a la atracción que había entre ellos, pero ya debería haberse dado cuenta de que ignorándola no iba a hacer que desapareciera.

—Con cosas —repitió mientras empezaba a vestirse.

Hubo un silencio al otro lado de la puerta. Jackson suspiró de nuevo.

—¿Qué pasa ahora, Phoebe?

—Nada. Es solo que... bueno, pensé que podría ayudarnos el salir y pasar la tarde juntos.

¿Que podría ayudarles?

—¿Cómo? —inquirió con recelo.

—No sé, pensé que tal vez podría disminuir un poco esta... tensión que hay entre nosotros.

Jackson, que estaba metiéndose la camiseta dentro de la cinturilla de los vaqueros, se quedó quieto. ¡Alabado sea Dios!, ¡aleluya! Al menos había dejado de fingir que esa atracción no existía. Pero aun así... Abrió la puerta del baño y se quedó plantado frente a Phoebe, que tenía a Rex en brazos e iba vestida con un mono con tirantes y pantalón corto.

Ella parpadeó y dio un paso atrás, y él la recorrió con la mirada. Admiró la delicada clavícula y siguió el rubor que se extendió desde el cuello hasta sus mejillas. Ella también estaba mirándolo, y debió de ver el deseo en sus ojos porque volvió a retroceder.

—¿Lo ves? —le dijo enarcando una ceja—. Solo hay una cosa que podría aliviar esta tensión que hay entre nosotros, y no precisamente una barbacoa.

Phoebe balbució que ya le tocaba el biberón a Rex, y se alejó apresuradamente en dirección a la cocina.

Jackson sacudió la cabeza divertido, y se sentó en el sofá a ver la tele. Al oír que el bebé empezaba a lloriquear, se levantó y fue a tomarlo en brazos mientras Phoebe acababa de prepararle el biberón, pero en ese momento sonó el teléfono.

Phoebe contestó en su habitual tono alegre, pero cuando vio tensarse sus ojos, de repente Jackson supo que no era una llamada cualquiera.

—Teddy... —la oyó murmurar.

Tomó al bebé de sus brazos y fue a sentarse con él en el sofá, para entretenerlo con la tele mientras ella hablaba.

—Teddy, piensa en Rex —le estaba diciendo Phoebe a su hermanastro—. Tienes que tomar una decisión; no puedes seguir postergándolo.

Jackson subió un poco el volumen del televisor. Un niño no debería oír esa clase de cosas, aunque solo tuviera unas semanas. Un niño siempre debería sentirse seguro, debería tener la seguridad de que crecería rodeado de personas que lo quisieran de verdad y que nunca lo abandonarían.

A pesar de haber subido el volumen, todavía podía oír a Phoebe.

—Lo entiendo, Teddy —le estaba diciendo a su hermano en un tono de súplica—. Y quiero muchísimo a Rex, pero tienes que volver.

Rex alzó la vista hacia Jackson y parpadeó.

—Lo sé, pequeñajo —le susurró él—, sé cómo te sientes. Yo pasé por lo mismo.

Él tenía dieciséis años cuando su madre se había largado para no volver. Durante los dos años siguientes había ido rebotando de casa de una tía a casa de un tío, y luego a casa de un primo segundo. Habían sido dos años en los que cada mañana se había levantado y había hecho la cama, o enrollado el saco de dormir, sin saber si pasaría la noche en una casa distinta o en una caravana. Cierto que él era un adolescente y no un bebé, y no había tenido ningún pariente que se hubiese preocupado por él como Phoebe se preocupaba por Rex. Pero aun así toda aquella situación le revolvía el estómago.

La conversación telefónica de Phoebe con su hermanastro no duró mucho más, pero cuando colgó parecía tan abrumada que Jackson fue junto a ella y puso al bebé en sus brazos.

—Toma —le dijo con suavidad—, aquí hay alguien que te necesita.

Y el pequeño disipó de inmediato la tristeza de sus ojos e hizo aflorar una sonrisa a sus labios. Jackson fue a por el biberón y condujo a Phoebe al sofá. Y luego, mientras ella le daba el biberón al bebé, volvió a la cocina y regresó con dos vasos de té frío, uno para Phoebe y otro para él, que dejó sobre la mesita antes de sentarse a su lado.

—¿Por qué eres tan bueno conmigo? —le preguntó ella en un murmullo.

Jackson se encogió de hombros y se frotó la nuca con la mano.

—¿Qué te ha dicho tu hermanastro?

Entonces fue ella quien se encogió de hombros.

—Nada nuevo. Aún necesita tiempo; sigue sin saber qué hacer.

Jackson resopló, aunque de buena gana habría soltado una ristra de improperios. Phoebe no se merecía aquello, y tampoco Rex.

Cuando hubo acabado de tomarse el té, mientras Phoebe sostenía al pequeño contra su hombro para que echase los gases, decidió que era el momento de tomar un poco de distancia. Se levantó y fue al rincón, donde estaba su maletín, y se sentó en la mesa del comedor a repasar unos papeles de trabajo.

Al mirar su reloj un poco más tarde vio que se acercaba la hora de la barbacoa, y como temía que Phoebe empezase a insistirle otra vez para que fuera con ella, evitó alzar la vista cuando ella lo llamó desde el sofá.

—¿Sí? —inquirió de mala gana.

—¿No vas a mirarme siquiera?

Él se limitó a contestar con un gruñido, con la esperanza de que pensase que otra vez no estaba prestándole atención.

—¡Ojalá vinieras! Todavía hace sol y me preocupa... —comenzó a decir ella, pero de pronto se quedó callada.

La curiosidad pudo con él.

—¿Qué te preocupa? —inquirió.

—Me preocupa que no veas apenas la luz del sol.

Él se quedó paralizado, antes de pasar de página en el dosier que tenía delante, aunque no tenía ni idea de qué estaba leyendo. Estaba preocupada por él...

—Bastantes problemas tienes ya como para preocuparte también por mí —le dijo con brusquedad.

Phoebe suspiró.

—No puedo evitarlo.

Jackson frunció el ceño.

—Pronto me marcharé —le recordó con aspereza—. Solo estoy aquí de paso.

—Lo sé, pero aun así no puedo evitarlo.

Frustrado por su obstinación, Jackson alzó la vista. Tremendo error. Uno de los tirantes del mono de Phoebe se había resbalado por el hombro, dejándolo al descubierto, y se encontró preguntándose si llevaría un sujetador sin tirantes, o si tal vez no llevaba ninguno.

Y ella, como si notase que estaba empezando a hacer mella en su fuerza de voluntad, sonrió y le dijo:

—Anda, vente conmigo.

Phoebe ya estaba lista para irse a la barbacoa. Con una mano sujetaba el asa del cuco de Rex, al que le había puesto una pequeña gorra de béisbol. Sobre la palma de la otra mantenía en equilibrio una tarta que tenía una pinta increíble.

A Jackson se le hizo la boca agua con solo verla.

—¿De qué es? —le preguntó.

—De chocolate y mermelada de fresa. La hice mientras dormías —le explicó ella—. Anda, vente conmigo —le insistió.

Quizá no fuese tan mala idea, pensó Jackson. Comida, familias, juegos en grupo... Tal vez si la acompañase Phoebe se daría cuenta de que no había sitio para él en su mundo. Se levantó de la silla en la que estaba sentado y se volvió hacia ella.

—¿Y si fuera?

Una sonrisa iluminó el rostro de Phoebe.

—Si vienes te dejaré llevar la tarta.

Cuando llegaron al parque ya había encendidas un par de barbacoas, y había madres, padres y niños de todas las edades correteando por el parque.

Jackson, aprovechando que aún no se habían aproximado lo bastante como para que pudieran oírles, le dijo a Phoebe:

—Escucha, como esto de socializar no es lo mío, si no te importa, me quedaré aparte por ahí sentado, tomándome alguna cosa.

Phoebe frunció el ceño y sacudió la cabeza.

—Si es eso lo que piensas hacer, ¿para qué has venido?

«Porque tú me lo pediste», estuvo a punto de decirle él. Pero sobre todo porque pensaba que necesitaba darse cuenta de que no estaba hecho para esa clase de vida. La clase de vida que ella quería.

Mientras Phoebe iba con Rex de un lado a otro, saludando a los demás, él fue a por una lata de Coca-Cola y se sentó en la mesa de picnic más alejada del meollo de la fiesta. Los demás hombres parecían muy relajados, algunos con sus hijos sobre los hombros o pegados a sus rodillas.

Durante un buen rato estuvo observando abstraído en sus pensamientos lo que pasaba a su alrededor, pero en un momento dado vio a un niño y a una niña cerca de él, peleándose por una pistola de agua, y aunque en un principio se mantuvo al margen, cuando el crío empezó a tirar a la pequeña de las trenzas y le dio un empujón, se sintió en la obligación de intervenir.

Cuando ya había conseguido poner paz y que el niño le pidiera perdón a la niña, se acercó un hombre que se presentó como Oliver Wright, el padre de la pequeña, Misty, y le dio las gracias por mediar.

Jackson le quitó importancia, diciendo que eran cosas de críos, pero trabaron conversación, y a partir de ese momento Jackson ya no pudo volver a su tranquilo rincón, porque Oliver empezó a presentarle a los demás y pronto se vio enredado en las actividades del grupo de padres y niños.

Por ejemplo, estuvo ayudando a Oliver a hacer perritos calientes, y la pequeña Misty, para la que se había convertido en un héroe al salvarla de aquel niño pegón, lo arrastró a tomar parte en los juegos que los adultos habían organizado.

Y aunque aquello no era lo suyo, para sus adentros sintió cierto orgullo cuando la pequeña y él ganaron en la «carrera de tres pies», en la que las parejas de participantes tenían que correr con un pie atado al de su compañero.

Phoebe se quedó sorprendida al verlo participando en los juegos, y más aún cuando una de las mamás dijo que levantaran la mano todos los que cumplían años en ese mes, y él la levantó junto con otros dos adultos y tres niños. Nadie le había cantado nunca el *Cumpleaños feliz*.

Mientras estaban cortando y repartiendo porciones de las tartas que la gente había llevado, incluida la de Phoebe, esta se acercó a él, que se había quedado cuidando de Rex, que sesteaba en su cuco a la sombra de un árbol.

—¿Es tu cumpleaños? —le preguntó.

Incómodo, Jackson se frotó la nuca.

—No, la semana que viene.

—¿Qué día?

Jackson pudo zafarse de la pregunta gracias a Misty, que llegó en ese momento sosteniendo con ambas manos un plato de cartón con un enorme trozo de tarta y un tenedor de plástico. Lo miró con sus grandes ojos y le dijo:

—Para ti.

Jackson, conmovido, le dio las gracias a la chiquilla y cuando tomó el plato de sus manos esta se abrazó con fiereza a su pierna. Jackson no pudo sino sonreír y dio un pequeño tirón a una de las trenzas a modo de guiño cómplice.

Sus ojos se encontraron entonces con los de Phoebe, que parecía visiblemente emocionada.

Jackson se puso colorado.

—Es que Misty... —balbució, pero no supo explicar la muestra de afecto de la niña, y acabó encogiéndose de hombros.

Phoebe sonrió y esta miró enternecida a la pequeña, que seguía abrazada a él.

—Creo que me estoy poniendo celosa.

Oh… oh... Lo que se desprendía de aquella escena era justo lo contrario de lo que había pretendido demostrarle a Phoebe, que ni lo de las familias felices era lo suyo, ni debía esperar nada de él.

Alguien gritó en ese momento que otro juego iba a empezar, y aunque Jackson se había prometido que ya no iba a participar en ninguno más, cuando Misty lo arrastró hacia allí pensó que siempre sería menos arriesgado que permanecer cerca de Phoebe.

Todavía había sol, pero estaba empezando a refrescar. Oliver organizó a los adultos y a los niños en dos líneas paralelas, una frente a otra. Todos se reían y bromeaban mientras se colocaban, y Jackson no comprendió de qué iba aquello hasta que Oliver repartió globos de agua a todos los que estaban en su fila y explicó que tenían que lanzárselo a la persona que tenían en frente, y que perdía aquel al que le estallase el globo. Para complicar un poco más las cosas, después de cada lanzamiento, las dos filas irían retrocediendo un paso para estar más lejos.

Jackson se encontró con que la persona que le

tocó de pareja fue Phoebe, y como no se lo esperaba casi se le cayó el globo cuando ella se lo lanzó por primera vez, aunque gracias a sus reflejos fue capaz de atraparlo en el último momento.

Se lo lanzó de vuelta, y Phoebe lo atrapó con un grácil movimiento que hizo que se le resbalase el tirante. Sonrió triunfante y lo picó diciéndole:

—¡Y tú que asegurabas que estas cosas no iban contigo!

Él, que no podía apartar los ojos de su hombro desnudo, contestó aturdido:

—¿Qué?

Phoebe le lanzó el globo, y a Jackson, su falta de atención en el juego, de nuevo estuvo a punto de hacer que se le escapase. ¡Suerte que tenía buenos reflejos!

—Estaba diciendo que, después de que no querías ni venir, llevas ganados más juegos que nadie.

Jackson enrojeció y le devolvió el globo.

—Eh... sí, bueno, quizá debería ir con Rex —dijo.

Pero antes de que pudiera escaquearse, Phoebe volvió a lanzarle el globo.

—No hace falta, está bien —le dijo—. Puedo verlo desde aquí.

Oliver ordenó a los participantes que retrocedieran unos pasos más. La dificultad del juego era cada vez mayor, y los globos de algunos se estrellaron sobre el césped entre las risas de unos y otros. Los que iban siendo eliminados se ponían en círculo, rodeando a los participantes que quedaban, y Jackson intentó concentrarse en el juego, en vez de en Phoebe. Cuando les dijeron que retrocediesen de nuevo se sintió aliviado. Poner distancia entre ellos, eso era lo que necesitaban.

Sin embargo, incluso desde lejos podía ver cómo se le resbalaba el tirante, y no podía dejar de mirar la piel desnuda que quedaba al descubierto.

Le tocaba lanzar el globo a él, y ya no quedaban muchas parejas de participantes aparte de Phoebe y de él. Ella lo estaba mirando contrariada, como preguntándose por qué no lo lanzaba ya, y los demás debían de estar pensando lo mismo, porque empezaron a gritarle que lo lanzara.

Y entonces, él, saliendo por fin de su aturdimiento, lo lanzó, pero lo hizo sin calcular bien la fuerza del lanzamiento... y el globo fue a estamparse justo contra Phoebe.

Tenía tan empapada la parte de arriba del mono que Jackson obtuvo respuesta a la pregunta que se había hecho antes sobre si llevaría o no sujetador. Era evidente que no, porque bajo la tela mojada se insinuaba el contorno de sus senos, y la brisa de la tarde había hecho que se le marcasen también los pezones.

Sin duda, otros hombres se habrían dado cuenta también, y dejándose llevar por un impulso protector avanzó apresuradamente hacia ella al tiempo que se desabrochaba la camisa para taparla con ella.

Capítulo 7

JACKSON insistió en acompañarla a casa para que se cambiara de ropa. A Phoebe no dejaba de parecerle gracioso, pero él no hacía más que disculparse una y otra vez por haber lanzado el globo con tanta fuerza.

Ella no se había esperado que el globo fuera a caerle encima, pero lo que la había sorprendido había sido ver a Jackson avanzando hacia ella a grandes zancadas mientras se quitaba la camisa. Ella había conseguido no quedarse mirándolo embobada, lo cual era toda una proeza, le había dado las gracias y se la había puesto, pero él no le había devuelto la sonrisa, y desde ese momento había estado rehuyendo su mirada.

Aquello la hizo sentir incómoda durante el breve trayecto de regreso, con Rex dormido en su cuco, y cuando llegaron a la puerta del apartamento Jackson seguía igual de tenso. Phoebe intentó disipar un poco el ambiente diciéndole con una sonrisa:

—Podías haberte quedado en el parque con Rex; no habría tardado nada en cambiarme y volver.

Jackson la miró enfurruñado.

—No podía dejar que fueras así por ahí sola.

Phoebe frunció el ceño mientras buscaba las llaves en el bolso.

—¿Así cómo?

La camisa de él la cubría hasta las rodillas.

Jackson esperó a que hubieran entrado, cerró tras de sí, y después de dejar el cuco sobre el sofá, la señaló con un ademán brusco diciendo:

—Todavía estás... calada.

Phoebe parpadeó, contrariada, pero cuando bajó la vista y se miró comprendió lo que quería decir. El globo le había estallado en todo el pecho, empapándole la parte de arriba del mono, y aunque la camisa de Jackson era de tela vaquera, la tela no era muy gruesa, y la humedad la había traspasado, formando dos embarazosos círculos sobre sus senos.

Se cruzó de brazos, sintiéndose repentinamente desnuda, y tragó saliva cuando sus ojos se encontraron con los de él, porque él también estaba mirándola como si estuviera desnuda.

—No... no tardaré nada en cambiarme —balbució.

Jackson gruñó, como lleno de frustración, y antes de que ella pudiese darse cuenta de lo que estaba ocurriendo, se encontró entre sus brazos. El contacto del torso desnudo de él con su ropa mojada generó de inmediato un calor húmedo.

—Phoebe... —murmuró Jackson con voz ronca.

Ella quería rodearlo con sus brazos, pero temía que, si tocaba su piel, no sería capaz de controlar lo que pudiera pasar a continuación.

—Me muero por besarte —le susurró él.

Y ella se moría por que lo hiciera.

—Pero... —tuvo que humedecerse los labios para seguir hablando—. Pero seguramente no sea buena idea.

Él asintió.

—Seguro que no —murmuró.

Pero la estrechó más entre sus brazos, y Phoebe cerró los ojos para saborear la dulce sensación de sus pechos apretados contra el musculoso torso de él.

—No, déjame ver tus ojos —le pidió él.

Phoebe volvió a abrirlos, y esa vez no pudo contenerse y deslizó las manos por su espalda. Él se estremeció, y cerró los ojos, como había hecho ella.

—Phoebe, convénceme de que esto no es una buena idea.

Una ráfaga de deseo afloró en ella, haciendo que un escalofrío de placer recorriera su cuerpo mientras acariciaba la ancha espalda de Jackson.

—Convénceme, Phoebe —le pidió él otra vez.

Había abierto los ojos, y había tal intensidad en su mirada, que a Phoebe se le secó la garganta. Se humedeció los labios nerviosa. ¿Que lo convenciera?

—Esto es algo natural, que pasa porque estamos viviendo juntos —dijo aturdida—. Bastaría con que diésemos un paso atrás para apartarnos el uno del otro.

Sin embargo, Jackson no se movió.

—¿Crees que es por eso?, ¿por compartir el mismo espacio, la misma cama?

La misma cama... Phoebe trató de ignorar esas últimas palabras y asintió.

—¿Te irrita tanto como me irrita a mí? —le preguntó él, escrutando su rostro—. Cada vez que me meto en esa dichosa cama te siento a mi alrededor: el olor de tu perfume, el calor de tu piel... Me lleva un buen rato cerrar los ojos.

Un gemido ahogado escapó de la garganta de ella.

—Y aun entonces... —continuó Jackson—. Y aun entonces me cuesta dejar de pensar en tu pelo, en tus ojos, en tus labios...

—Jackson... —alzó el rostro hacia él.

—No deberíamos —murmuró Jackson.

Phoebe detestó la firmeza en su voz. No podría soportarlo si se apartara de ella; no cuando el deseo estaba consumiéndola por dentro y la lógica la había abandonado, como los pelillos de un diente de león, arrastrados por la brisa.

—Arranquémonos esa espinita —propuso ella, algo desesperada, y también algo sorprendida de sentir un ansia semejante por que un hombre la besase.

Las manos de Jackson abandonaron su cintura y enmarcaron su rostro. Le acarició las mejillas con los pulgares mientras la miraba a los ojos, y sonrió.

—Está bien. Una vez. Un solo beso. Pero para que nos saquemos la espinita, como tú dices, tenemos que hacerlo bien.

A Phoebe volvió a escapársele un gemido ahogado, y por fin Jackson se inclinó hacia ella y rozó sus labios con los suyos. Cuando gimió de nuevo, él le echó la cabeza un poco hacia atrás, tomó su labio inferior entre los suyos y lo succionó suavemente.

A Phoebe se le puso la carne de gallina, y al oírlo gemir a él también, como si el sabor de su boca lo volviese loco. Hincó los dedos en su espalda desnuda, y deslizó las palmas de las manos por los tensos músculos.

Cuando Jackson levantó la cabeza, ella iba a protestar, pero no fue necesario, porque al instante volvió a inclinarse sobre ella, y fue aún más increíble.

En cuanto la lengua de Jackson rozó la suya las rodillas le flaquearon. Se aferró a sus hombros para mantenerse en pie, y él debió de advertirlo, porque volvió a bajar las manos a su cintura.

Sin dejar de besarla, enroscando su lengua con la de ella de un modo delicioso, la condujo hacia la mesa del comedor.

Cuando los muslos de Phoebe chocaron contra ella, Jackson la levantó, sentándola sobre ella, y se colocó entre sus piernas. El roce de sus vaqueros contra la cara interna de sus muslos desnudos la excitó de tal modo que no pudo reprimir un gemido de placer.

Jackson despegó inmediatamente sus labios de los de ella.

—¿Estás bien?

Phoebe se quedó mirándolo extasiada. Sus labios estaban húmedos, y su respiración jadeante hacía que su pecho subiera y bajara. Sin pensarlo, Phoebe puso una mano sobre su corazón, curiosa por saber si latía tan deprisa como el suyo en ese momento.

Jackson gruñó, cerró los ojos, y puso su mano sobre la de ella.

—Phoebe... deberíamos parar.

—Pues mi cuerpo no dice lo mismo, y creo que el tuyo tampoco.

Sus palabras le hicieron inclinarse sobre ella de nuevo, tomando sus labios con un beso tremendamente sensual y erótico, y Phoebe se abandonó al placer que estaba experimentando.

Jackson, que estaba apartando cosas de la mesa detrás de ella, interrumpió el beso y la hizo echarse hacia atrás.

Phoebe lo observó mientras él le abría la camisa. Sus pezones se endurecieron bajo la mirada de Jackson, como si quisieran llamar su atención. Él se estremeció y susurró su nombre.

Luego alargó una mano hacia su pecho, y Phoebe contuvo el aliento, ansiando sus caricias. Sin embargo, cuando los largos dedos de Jackson se cerraron sobre su seno, Phoebe dio un respingo, y sin querer golpeó con el codo algo que cayó al suelo. Los dos parpadearon, sobresaltados por el ruido, y el sensual embrujo que había en el aire se esfumó.

Aturdida, Phoebe se incorporó como pudo al tiempo que Jackson se apartaba de ella.

—Perdona —murmuró él dándose la vuelta.

Phoebe se quedó mirando anonadada las marcas rojas que había en su espalda. Marcas de uñas... de sus uñas... Las marcas de la pasión que había encendido en ella. Azorada, tragó saliva.

—Jackson, yo...

Él se giró de nuevo hacia ella, con una expresión neutral y serena.

—Antes de que digas nada —la interrumpió—, deja que me disculpe.

¿Disculparse? ¿Por qué tenía que disculparse? Jackson inspiró y se frotó las palmas de las manos contra las perneras de los vaqueros.

—No debería haber dejado que las cosas se nos fueran así de las manos —dijo—. No volverá a pasar.

A Phoebe no le costó nada creerle. Si en un instante había pasado de estar arrebatado de pasión a calmado y con la cabeza fría, era porque aquellos besos no lo habían afectado tanto como a ella.

Con las mejillas ardiendo de vergüenza se bajó de la mesa y se acuclilló para recoger lo que había caído al suelo: el portafolios de Jackson con todos los papeles y otras cosas que tenía dentro. No iba a dejar que viera lo agitada que sus besos la habían dejado. Iba a mostrarse tan fría como él.

Jackson se acuclilló junto a ella.

—Deja, ya lo recogeré yo —le dijo.

Pero Phoebe se afanó en juntar los folios que se habían desperdigado por el suelo. Mientras Jackson volvía a guardar en el portafolios los objetos pequeños, lápices, bolígrafos y otras cosas, vio que un sobre grande se había deslizado más lejos, cerca de la mesita frente al sofá.

Se levantó, y cuando lo hubo recogido se volvió para llevárselo a Jackson, pero se le resbaló de la mano y una hoja cayó al suelo. Al agacharse para recogerla vio que no era una hoja, sino una fotografía.

Una fotografía de dos adolescentes, un chico y una chica, de pelo y ojos castaños que parecían gemelos. Phoebe parpadeó confundida, miró a Jackson, y volvió a mirar la foto. Los dos chicos tenían un gran parecido físico con él, y al mirar la dirección del remitente en el sobre vio que había sido enviada desde una pequeña ciudad a menos de una hora de allí.

—¿Quiénes son? —le preguntó—. ¿Son parientes tuyos?

Jackson no le había dicho que tuviera familia. Él se giró, y su rostro se ensombreció, pero no contestó.

—Perdona —se disculpó Phoebe. Al fin y al cabo no era asunto suyo; no debería inmiscuirse—. Si es algo de lo que no quieres hablar...

—Son mi hermano y mi hermana —contestó él finalmente—. ¿Quieres que te hable de ellos?

Phoebe carraspeó incómoda.

—No tienes por qué hacerlo; yo... sentía curiosidad.

—Quizá sí deba hacerlo —dijo Jackson en un tono críptico—. Dejé de verlos cuando tenían cuatro años.

Phoebe frunció el ceño.

—¿Dejaste de verlos?

—Los servicios sociales se los llevaron.

Los servicios sociales... De pronto Phoebe recordó cómo había reaccionado cuando la señora Bee había amenazado con llamar a los servicios sociales para que se hicieran cargo de Rex. Aun así, allí había algo que se le escapaba.

—¿Se los llevaron? ¿Y dónde estaban vuestros padres?

Jackson se encogió de hombros.

—Nunca he sabido quién era mi padre, ni si mis hermanos eran hijos del mismo o de otro hombre —le explicó—. Y mi madre se largó cuando yo tenía dieciséis años. Cuando se fue durante un tiempo nos las apañamos solos, pero un día... —se le quebró la voz y apretó la mandíbula—. Un día llamaron a la puerta y eran unas personas de los servicios sociales. Una hora después estábamos fuera del cuchitril en el que vivíamos y nos habían separado, aunque yo había cuidado de mis hermanos lo mejor que había sabido desde el día en que nacieron. Nuestra madre no pensaba más que en beber y en fumar, y no los atendía en absoluto. Y cuando empezaron a crecer las cosas empeoraron, porque cada vez nos dejaba solos por periodos más largos de tiempo.

Phoebe lo miró boquiabierta.

—¿Te dejaba solo con los bebés?

—Yo los cuidaba bien —respondió Jackson, un tanto a la defensiva—. Mejor que ella.

Phoebe no lo dudaba.

—¿Y has dicho que os separaron?

—Eran dos niños muy guapos, callados, y en edad preescolar. Los llevaron a un centro de acogida, pero al poco tiempo los adoptaron.

—¿Y tú? —inquirió ella con suavidad.

—¿Yo? —Jackson se encogió de hombros y soltó una risa seca—. Yo era un chico de dieciséis años furioso con el mundo que estaba acostumbrado a cuidar de sí mismo. Una prima de mi madre aceptó acogerme en su casa, y estuve durmiendo en su sofá hasta que se cansó de mí.

Phoebe sintió una punzada de dolor en el pecho. Bajo la coraza de Jackson se adivinaban las cicatrices de aquel chico de dieciséis años.

—¿Y has mantenido el contacto con ellos?, ¿con...?

—Se llaman Linc y Laura. A mi hermano y a mí nuestra madre nos llamó «Jackson» y «Lincoln» por los billetes de veinte y cinco dólares. Lo de «Laura» no sé de dónde lo sacó.

—¿Pero has mantenido el contacto con ellos?

Jackson sacudió la cabeza y Phoebe se quedó callada un momento.

—¿Y por qué me has contarme todo esto, aunque te dije que no tenías por qué si no querías hacerlo? —inquirió.

—Para que comprendas que todo esto de fingir que somos una familia feliz, Rex, tú y yo no es más que eso, una pantomima. No quiero que te hagas una idea equivocada y que pienses que esto puede llegar a ser algo más —le explicó Jackson—. No sirvo para tener una familia.

¿Cómo podía decir eso? El que los servicios sociales le hubiesen quitado a sus hermanos no significaba que fuese una mala persona.

—Jackson, tú no...

Él levantó una mano para interrumpirla.

—Deja que termine. Aquello me enseñó algo; o quizá debería decir que me cambió. El caso es que no tengo el arraigo familiar que tienen o ansían la mayoría de las personas. Yo no quiero formar una familia, ni quiero echar raíces. Voy de un sitio a otro, y voy ligero de equipaje, y viajo solo, y así es como quiero que siga siendo.

Phoebe se quedó mirándolo sin saber qué decir. Jackson estaba convencido de que así era como se sentía, pero la expresión que había visto en su rostro cuando sostenía en brazos a Rex le decía que no era verdad, que estaba engañándose a sí mismo.

Esa noche Phoebe no conseguía conciliar el sueño. Quizá fuera porque sabía que Jackson estaba despierto y leyendo en el salón. Hasta en fin de semana, cuando no tenía que trabajar, seguía viviendo como un ave nocturna. Suponía que tenía sentido, que ya se había acostumbrado a esa clase de horarios, pero por algún motivo el pensar en él, despierto y solo de madrugada, hacía que sintiera lástima por él.

Se había ofrecido a darle el biberón a Rex por la noche los fines de semana, ya que de todos modos estaba despierto, y la consolaba un poco saber que al menos tenía la compañía del pequeño en esas horas de soledad.

Después de lo que le había contado las piezas habían empezado a encajar. Ahora entendía por qué se le daban tan bien los niños. Y por qué había decidido ayudarla, hasta el punto de prestarse a aquella pantomima.

Había perdido a sus hermanos, lo que más quería en el mundo, y aunque aseguraba que aquello lo había insensibilizado, seguía teniendo un corazón lo bastante grande como para no haberse quedado impasible viendo cómo a ella podría pasarle lo mismo.

Intentó una vez más cerrar los ojos y dormirse, pero volvieron a abrírsele cuando oyó a Rex salir llorando. Oyó a Jackson levantarse e ir hasta la cuna, y después el murmullo de su voz, intentando calmar a Rex.

Luego lo oyó ir hacia la cocina, a calentarle el biberón al pequeño. Rex siguió lloriqueando, y Phoebe estaba planteándose levantarse e ir a echarle una mano, pero entonces oyó de nuevo la voz de Jackson, que parecía estar tarareándole algo al bebé.

Se quedó quieta, escuchando, y frunció el ceño. ¿Estaba tarareándole *Cumpleaños feliz*? De pronto se acordó de que esa tarde, en el parque, Jackson había admitido azorado que su cumpleaños era la semana próxima.

¿Cómo podría conseguir sonsacarle el día? Se preguntó qué regalo podría hacerle. Después de lo que le había contado estaba segura de que no había tenido muchas fiestas de cumpleaños.

Arrullada por la suave voz de Jackson, los ojos empezaron a cerrársele, y mientras el sueño la arrastraba, empezó a crecer en su mente la semilla de una idea maravillosa para sorprenderle.

Capítulo 8

JACKSON abrió con cuidado la puerta del baño y vio que Phoebe estaba en la cocina y completamente vestida. Respiró aliviado. No creía que pudiese soportar ni una sorpresa más.

El día después de la barbacoa, de besarla de nuevo y de hablarle de sus hermanos, había salido del baño, tras darse una ducha, y al ir al dormitorio a por su ropa se había encontrado allí a Phoebe, de espaldas a él, intentando subirse la cremallera de un vestido.

Al oír sus pisadas se había girado hacia él, sobresaltada, pero en esos pocos segundos Jackson había visto más de lo que querría haber visto por la abertura trasera del vestido: su esbelta espalda desnuda, el enganche de un sujetador de color rosa y unas braguitas a juego.

Phoebe se había puesto colorada, pero se había

visto obligada a pedirle ayuda porque la cremallera se había enganchado. Y él casi se había mordido la lengua cuando, al subírsela, el vello rubio y casi invisible de su espalda se había erizado con el roce de sus nudillos.

¡Y pensar que todavía tenían que seguir más de tres semanas bajo el mismo techo! Su única esperanza era sobrevivir a ellas intentando ignorarla lo más posible. Por eso, fue a sentarse en el sofá sin mirarla siquiera, y se parapetó tras el periódico del día que encontró sobre la mesita.

Phoebe se acercó con una taza de café en la mano, y se paró a hacerle carantoñas a Rex, que estaba sentado en su cuco sobre la mesita.

Jackson la ignoró, fingiéndose muy interesado en su lectura.

—Oye, Jackson.

—¿Sí? —inquirió él, como abstraído, pasando de página.

—¿Cuándo es tu cumpleaños?

Jackson estaba tan enfrascado en encontrar en el periódico algún artículo que le interesara, que su contestación fue automática.

—El sábado.

Y nada más decirlo se arrepintió, y se preguntó por qué Phoebe tenía tanto interés en saberlo.

Satisfecha su curiosidad, ella se volvió de nuevo hacia Rex y se puso a cantarle una canción infantil.

El dulce sonido de su voz era hechizante como el canto de una sirena. Cerró los ojos y se obligó a recitar mentalmente el itinerario de trabajo que tenía previsto para el año próximo: Los Ángeles, San Bernardino, Stanislaus, San Diego...

—¿Jackson?

Al oír su nombre dio un respingo y abrió los ojos.

—¿Qué?

—Te he preguntado por tus hermanos. No pude evitar fijarme en el remite del sobre y... bueno, no viven lejos de aquí, ¿no?

—Sí.

Y ahora tenían dieciocho años. Jackson pensó en el montón de cartas que llevaba consigo a cada sitio que iba. Catorce cartas, por cada uno de los cumpleaños que se había perdido, aunque no había llegado a mandarlas porque hasta entonces no había sabido quién los había adoptado ni dónde vivían.

—¿Y quieres... volver a verlos?

—Sí —contestó él, en el mismo tono distraído.

La pareja que había adoptado a sus hermanos lo había estado buscando, y hacía unos tres años finalmente había conseguido ponerse en contacto con él por carta. Habían estado manteniendo correspondencia con él, y le había estado enviando fotografías de Linc y de Laura. La pareja había sido muy amable, y había respetado su deseo de no querer ser parte de sus vidas. Le había prometido que no les diría a sus hermanos que se había puesto en contacto con él.

—Un día podríamos invitarles a tomar café para que pudierais charlar —propuso Phoebe—. ¿No te parece que es una buena idea?

—Sí, claro —murmuró él, sin apartar la vista del periódico.

No, no era una buena idea; lo mejor para Linc y Laura era que las cosas siguieran como estaban. Pensar en sus hermanos lo hacía sentirse inquieto y culpable. Se levantó del sofá y le dijo a Phoebe que iba a llevarse a Rex a dar un paseo. Se había convertido en un hábito para él, sacarlo de paseo antes de ir a trabajar, así que Phoebe no puso objeción, sino que fue a por el carrito, y Jackson respiró aliviado de poner fin a aquella conversación.

Phoebe se secó las manos con el paño de la cocina, y repasó con la mirada las cosas que había colocado sobre la encimera: la tarta, la botella de champán, la botella de sidra espumosa... Sí, no faltaba nada. Y los invitados estaban sentados en el salón; solo faltaba que apareciese el homenajeado. ¡Qué sorpresa se iba a llevar!

Sintió un cosquilleo de nervios en el estómago, pero lo ignoró y fue a sacar una cajita de cerillas de un cajón. Cuando oyera a Jackson abriendo con su llave encendería las velas de la tarta y la llevaría al pequeño vestíbulo cantando *Cumpleaños feliz*. Estaba impaciente por ver la cara que pondría.

Y no tuvo que esperar mucho, porque pronto se oyó el ruido de la llave en la cerradura. Justo a tiempo. Ilusionada y nerviosa, se apresuró a encender las velas y se dirigió al vestíbulo cantando.

Jackson cerró lentamente la puerta tras de sí, mirándola anonadado.

—¿Pero qué...?

Phoebe acabó la canción, y exclamó con una sonrisa:

—¡Feliz cumpleaños!

La expresión de Jackson se suavizó, y ella habría jurado que se le iluminaron los ojos.

—Te has acordado...

Phoebe sonrió. Aquello era lo que había pretendido con esa pequeña sorpresa, que perdiera al menos un poco de esa seriedad tras la que se parapetaba siempre.

Iba a decirle que tenían invitados, pero antes de que pudiera hacerlo él volvió a hablar.

—No puedo creer que hayas hecho todo esto por mí —murmuró esbozando una pequeña sonrisa, y los labios le temblaron un poco. Alargó el brazo y le acarició la mejilla con los nudillos.

Un cosquilleo descendió por el cuello de Phoebe, que tragó saliva y casi deseó que estuvieran a solas.

—Pues esto no es todo —le dijo nerviosa—. Tenemos invitados.

Se dio media vuelta y fue delante de él hasta el salón. Una vez allí se hizo a un lado para que pudiera ver a los dos jóvenes, que estaban junto a la ventana.

Jackson se quedó paralizado. Retrocedió. Dios un paso adelante. Volvió a retroceder. Cuando giró la cabeza hacia ella la sonrisa había desaparecido de sus labios.

—¿Has sido tú quien...?

Un escalofrío recorrió la espalda de Phoebe, que se humedeció los labios para responder.

—Dijiste que querías contactar con ellos —le explicó—. Había visto la dirección en ese sobre que se cayó al suelo el otro día y... hoy era tu cumpleaños —concluyó torpemente.

Miró a los gemelos, que se habían quedado muy quietos. Se sentía terriblemente violenta, pero se obligó a mirar a Jackson. Quizá hubiera cometido un error, pero no era el momento de discutir con él si había hecho bien o no.

—Venga, Jackson, salúdales. Diles hola a tus hermanos. Han venido expresamente.

Con expresión inescrutable, Jackson se giró hacia los adolescentes y, mientras Phoebe dejaba la tarta sobre la mesa del comedor, avanzó lentamente hacia ellos.

Les tendió la mano, los saludó por su nombre, y se estrecharon la mano. Phoebe no podía dar crédito a lo que estaba viendo. ¡Los había saludado con un apretón de manos! ¡Después de años sin verlos! El grado de alienación al que había llegado Jackson era peor de lo que había imaginado.

En un intento por disipar la tensión que se palpaba en el ambiente, Phoebe invitó a los gemelos a tomar asiento en el sofá, y Jackson y ella se sentaron en un par de sillas frente a ellos. Cortó un pedazo de tarta para cada uno, y sirvió sidra, porque no le pareció que fuera momento de brindar con champán.

Como el tenso silencio se prolongaba, se puso a darle conversación a Linc y a Laura.

—Supongo que ya habréis terminado el instituto, ¿no? —les preguntó con una sonrisa—. ¿Tenéis pensado ir a la universidad?

Laura sonrió con timidez y respondió:

—Sí, nos han aceptado en UCLA. Yo me he matriculado en Magisterio.

—¿Y tú? —le preguntó Phoebe a Linc.

—Creo que estudiaré Ciencias Económicas, aunque también me atrae Cine y Comunicación Audiovisual.

—Debería hacer películas —dijo Laura—; sería aún mejor que Spielberg.

Azorado, Linc puso los ojos en blanco.

—Laura...

—Yo también estudié en UCLA —intervino Jackson de repente.

Phoebe, Linc y Laura se quedaron callados al oírlo hablar. Jackson carraspeó y continuó:

—Me licencié en Ingeniería Industrial.

Al ver que no parecía tener nada más que añadir, Laura tragó saliva y le preguntó:

—¿Y... y te gustó estudiar allí?

Jackson asintió.

—Es una buena universidad. Habéis elegido bien.

Los gemelos parecieron relajarse un poco. Rex se había despertado en su cuna, y mientras Phoebe se levantaba para ir a por él para que se uniera a la fiesta, oyó a Linc y a Laura hacerle unas cuantas preguntas más a Jackson sobre la universidad.

Cuando volvió con ellos y les presentó al pequeño, el ambiente pareció distenderse un poco más y Laura le preguntó si podía tomar a Rex en brazos, a lo cual por supuesto ella accedió encantada. Y luego, para evitar otro silencio incómodo, les explicó por qué tenía a su sobrino con ella, aunque omitió lo de su falso matrimonio con Jackson. Cuando les había llamado para invitarles a reunirse con su hermano, les había dicho que solo eran amigos y compañeros de piso.

La presencia de Rex, que ahora estaba en los brazos de Linc, consiguió disimular los silencios de Jackson, que seguía mostrándose distante, pero a Phoebe le entraban ganas de llorar cuando lo miraba. ¿Es que no podía interesarse siquiera un poco en sus hermanos? ¿Tan frío se había vuelto desde que los habían apartado de él? ¿Es que no le importaban?

En un momento dado, mientras conversaba con Linc, oyó un ruido de cristales seguido de un grito ahogado de Laura, y giró de inmediato la cabeza. Parecía que se le había resbalado el vaso, que estaba en el suelo roto en varios pedazos grandes, y debía haberse agachado para evitar que cayera al suelo, porque se había hecho un corte en el pulgar.

—¿Estás bien? —le preguntó Linc.

Phoebe se puso en pie de inmediato, pero Jackson ya estaba junto a su hermana.

—Déjame ver la herida.

—No es nada —replicó Laura, llevándose el pulgar a la boca.

Jackson se quedó mirándola, y pareció sacudirlo una profunda emoción.

—Siempre hacías eso —dijo, con voz entrecortada—. Me pasé mucho tiempo intentando que no te chuparas cuando te hacías una herida, pero no me hacías caso.

—Y siempre te pedía que le hicieras eso de «sana, sana, colita de rana... si no se cura hoy, se curará mañana» —recordó Linc con una sonrisa triste.

Se quedaron callados, pero los tres hermanos se miraron conmovidos, como si de algún modo aquel pequeño recuerdo hubiese reavivado el vínculo entre ellos.

Phoebe se fue a la cocina para que tuvieran un poco de intimidad. Al cabo de un rato regresó con la escoba, el recogedor y un paño, y barrió los cristales y secó el suelo.

Jackson había vuelto a su silla, pero al menos estaba hablando con sus hermanos, explicándoles en qué consistía su trabajo. Ellos le hablaron de sus padres adoptivos y, aunque vacilantes, le hicieron algunas preguntas sobre su madre y sus primeros años de vida. Parecía que gracias a sus padres adoptivos ya sabían algo, pero mientras escuchaba a Jackson se dio cuenta de que estaba intentando protegerlos de los detalles más sórdidos.

Incluso consiguió poner una nota positiva en el hecho de que los servicios sociales los hubieran separado.

—Me alegré muchísimo por vosotros cuando supe que os habían adoptado —les dijo.

Phoebe se quedó mirándolo, sorprendida de que fuera capaz de mentir con tanta facilidad.

Cuando Linc y Laura se levantaron para irse, Jackson no bajó a acompañarlos hasta el coche; se limitó a estrecharles la mano de nuevo y cuando se hubieron marchado cerró la puerta en silencio. Ninguno de los tres había sugerido la posibilidad de que volvieran a verse.

Jackson no se volvió inmediatamente hacia Phoebe cuando sus hermanos se hubieron marchado. Cerró los ojos, recomponiendo su coraza, y se giró finalmente.

Ella, que tenía a Rex en brazos, lo miró y dijo:

—¿Estás enfadado?

Jackson dio un paso hacia ella.

—Sí.

Phoebe retrocedió.

—Pero te ha alegrado de verlos, ¿no?

—No estoy seguro de que esto les haya hecho bien.

—Cuando me puse en contacto con sus padres me dijeron que tus hermanos estaban ansiosos por volver a verte.

Jackson sacudió la cabeza.

—El no volver a verles fue elección mía, Phoebe. Es mi vida, y soy yo quien decide.

No había sido elección suya que los separaran de él, pero al saber que habían sido adoptados había querido que pudiesen llevar una vida plena con su nueva familia, sin que se sintieran atados a él.

Phoebe lo miró dolida.

—Es tu cumpleaños —murmuró—. Quería hacer por ti algo que fuera especial.

Jackson sintió que se le partía el corazón al oírle decir eso. Encariñarse con alguien solo provocaba sufrimiento, se dijo. Si uno se abría demasiado a una persona, esa persona acababa viendo en su interior, y Phoebe se quedaría espantada al ver la oscuridad y el frío que asolaban su alma.

Se quedó mirándola con un nudo en la garganta. Su mano acariciaba de un modo protector la espalda del pequeño. Recordaba lo que era sentirse así, lo mucho que él había querido a Linc y a Laura, y cómo habría hecho cualquier cosa para evitarles incluso el menor rasguño. Cerró los ojos, abrumado por esos recuerdos.

—¿Estás bien? —le preguntó Phoebe preocupada.

Él abrió los ojos y la miró ceñudo, azorado por que lo hubiese pillado abstraído en sus recuerdos.

—Mantente fuera de mi vida; es lo único que te pido.

Ella contrajo el rostro.

—¿De qué vida? —le espetó.

Y él se alejó porque no tenía una respuesta.

Al día siguiente el enfado de Jackson con Phoebe aún no había amainado. Y encima de su mal humor hacía un calor de mil demonios a pesar de que ya faltaba poco para que anocheciera.

Cuando empezaba a atardecer, Phoebe y él abrieron la puerta del congelador y se encontraron con que los cubitos de hielo todavía no estaban hechos. Habían acabado con los que quedaban, y habían rellenado de agua la cubitera, pero al parecer iban a tener que esperar un poco más.

—¿Cuánto tarda en congelarse un poco de agua? —gimió Phoebe desesperada.

En el vaso vacío que tenía en la mano le quedaban todavía un par de hielos medio derretidos, y lo apretó contra una de sus mejillas, encendidas por el calor.

Jackson trató de ignorar el aspecto tan sexy que tenía con ese rubor, y los mechones húmedos junto a las sienes, que le hicieron imaginarla en la cama, debajo de él, jadeante y sudorosa.

—Lleva tiempo que las cosas se enfríen —apuntó.

—Hace demasiado calor para discutir —contestó ella, como si intuyese que él pretendía iniciar una discusión.

Jackson se encogió de hombros, y estaba a punto de cerrar la puerta del congelador cuando ella lo detuvo, poniéndole una mano en el antebrazo.

—Espera, no cierres todavía; deja que disfrute un momento del frío.

Los dedos de Phoebe le abrasaban la piel. Apretó los dientes, dejó caer el brazo y huyó a sentarse en el salón. Después apareció Phoebe, desabrochándose otro botón de la blusa, se puso a abanicarse el pecho, tirándose de la solapa.

¡Por amor de Dios! No podía seguir soportando aquella tortura. Jackson se levantó de un modo tan brusco que se cayeron un par de cojines al suelo.

—Necesito salir de aquí —mascullló recogiéndolos—. Quizá vaya a ver una película. Sí, eso voy a hacer; irme a sentarme en un cine con aire acondicionado con unas palomitas y un gran refresco con hielo.

La expresión anhelante de Phoebe al oírle decir eso hizo que Jackson sintiera una punzada de culpabilidad.

—¿Quieres venir? —le preguntó a su pesar. Se aseguraría de meterse en una sala distinta a ver otra película.

—No, gracias —rehusó ella con una sonrisa triste—. Tengo un pequeño problemilla —señaló a Rex que, tumbado en su cuco, observaba hipnotizado las cortinas, agitadas por la brisa casi inexistente—. Aunque no parece que el calor le moleste, no sé si sería capaz de estar callado todo el tiempo que dure la película.

—Ya, claro —Jackson tomó de la mesita las llaves de su camioneta y se las metió en el bolsillo.

Aire acondicionado, un refresco con hielo... Fue hasta la puerta, pero cuando ya tenía la mano sobre el pomo se detuvo y se volvió hacia Phoebe.

—Podríamos ir a un cine al aire libre —le propuso, sorprendiéndose a sí mismo. Había uno en las afueras de la ciudad.

Phoebe parpadeó, entre incrédula y agradecida.

—¿Y podríamos llevar a Rex?

Jackson esbozó una sonrisa.

—No veo por qué no. Pero elijo yo la película.

Phoebe se rio.

—Con tal de salir un rato de este horno por mí puedes elegir la película que quieras.

Capítulo 9

COMO cuando llegaron al cine la última fila del aparcamiento estaba casi vacía, Jackson decidió poner la camioneta allí mismo, y la estacionó al revés para que pudieran ver la película sentados cómodamente en la parte de atrás.

Por suerte, como ya había anochecido, ya hacía un poco de fresco. Mientras Phoebe extendía en el suelo de la camioneta una manta acolchada y colocaba los almohadones que se habían llevado para apoyar la espalda, Jackson fue a comprar palomitas y refrescos.

Cuando se tumbaron, Phoebe giró la cabeza hacia su izquierda, donde Rex, tumbado en su cuco, observaba curioso el cielo estrellado. Al ponerse cómoda sobre su almohadón, su hombro rozó el de Jackson sin querer.

—Aquí se está mucho mejor —dijo con un suspiro de placer.

Jackson no estaba del todo de acuerdo; no cuando se vio obligado a apartar los ojos para no quedarse mirando el pecho de Phoebe, que subía y bajaba bajo la blusa blanca cada vez que respiraba.

—Pásame mi refresco, ¿quieres? —le pidió.

Phoebe se lo dio y él gruñó un «gracias» antes de tomar un buen sorbo.

—Ojalá no siguieras enfadado conmigo —dijo ella de repente.

Jackson prefirió quedarse callado; al menos así tenía una excusa para mantener las distancias con ella.

Sin mirarlo, Phoebe se puso a retorcer entre sus dedos un mechón de su sedoso cabello. Jackson la había visto hacerlo otras veces, y tenía un efecto hipnótico en él.

—Es por mis padres —murmuró ella—. Bueno, por mi madre y mi padrastro. Cuando murieron en un accidente de tráfico hice lo que pude para mantenernos unidos a Teddy y a mí.

—¿Cuánto hace de eso? —le preguntó Jackson.

—Hace cuatro años. Yo tenía veinte y Teddy dieciocho. No puedo decir que tuviera mucho éxito con Teddy, pero no pude resistir el impulso de intentar acercaros de nuevo a tus hermanos y a ti.

Jackson comprendía que lo había hecho con buena intención, ¿pero no se daba cuenta de que había cosas que no era fácil arreglar?

Como en ese momento empezaron a poner en la pantalla anuncios de próximos estrenos, se evitó el tener que contestarle. El anuncio que estaban poniendo en ese momento era de una película romántica, y cuando terminó Phoebe dejó escapar un largo y sentido suspiro.

Aquello lo irritó profundamente. No podía creerse que soñara despierta con esa clase de ideales sentimentales e inalcanzables. Era como ese impulso que había tenido de intentar acercarlos a sus hermanos y a él. La miró con el ceño fruncido y le preguntó con aspereza:

—¿No te ha dicho nadie que eres demasiado romántica?

Molesta, Phoebe se cruzó de brazos.

—¿Y qué hay de malo en que sea una romántica?

—¿Que qué tiene de malo? ¡Que tu romanticismo acabará metiéndote en toda clase de problemas!

—A lo mejor es al revés; a lo mejor resulta que me evita problemas. ¿Se te había ocurrido pensar eso?

Lo que pensaba era que estaba loca.

—¿Qué quieres decir?

—Lo que quiero decir es que no estoy dispuesta a conformarme con cualquiera; estoy esperando a que aparezca el hombre adecuado.

—¿El hombre adecuado? —repitió él, enarcando las cejas.

—Pues sí, un hombre que hará algo más que revolucionar mis hormonas. El hombre capaz de llegar a mi corazón. Y a mi alma.

—Estás empezando a darme miedo —dijo él, dándose cuenta de que hablaba en serio—. Terminarás llevándote una decepción del tamaño de una casa si vas por ahí esperando a tu príncipe azul. Por amor de Dios, Phoebe, si crees que te va a caer del cielo un final feliz con música de violines y un beso de amor verdadero es que no sabes nada de la vida.

Antes de que ella pudiera responder terminaron

los anuncios, y Phoebe giró el rostro hacia la pantalla y lo ignoró durante la hora y cincuenta y tres minutos que duró la película.

Una hora y cincuenta y tres minutos que él se pasó mirando a la pantalla sin prestarle apenas atención a la película porque se sentía como una sabandija por cómo le había hablado.

Claro que peor aún se sintió al ver, mientras pasaban los créditos, las lágrimas que rodaban por las mejillas de Phoebe. Y puesto que el protagonista había conseguido vencer a los alienígenas invasores, salvando a la ciudad y al resto del mundo, dudaba que estuviese llorando por esa última escena de la película.

—Phoebe —la llamó, volviéndose hacia ella.

Ella se apresuró a enjugarse las lágrimas.

—¿Qué?

—Estás llorando.

Ella tragó saliva.

—No es nada.

Jackson remetió un mechón de cabello tras la oreja de Phoebe.

—Perdóname; te he hecho daño.

Ella sacudió la cabeza.

—¿Y si resulta que tienes razón? —le preguntó en un susurro—. ¿Y si nunca encuentro a alguien a quien amar? ¿Y si pierdo a Rex?

Otra lágrima se deslizó por su mejilla, y Jackson gimió de frustración y se dio por vencido, rodeándola con sus brazos y atrayéndola hacia sí.

—Por favor, no te pongas triste, Phoebe —le suplicó.

No podía mentirle y decirle que el cuento de hadas con el que soñaba se haría realidad, pero al menos podía intentar ofrecerle consuelo.

La tomó de la barbilla, y apretó sus labios contra los de ella, salados por las lágrimas. Al principio comenzó como un beso tierno, amable, pero al cabo de un rato Phoebe gimió y abrió la boca para permitir el acceso a su lengua.

Jackson la subió encima de su regazo, y ella quedó sentada a horcajadas sobre él, con la cálida unión entre sus muslos apretada contra su miembro palpitante.

Enredó los dedos en el pelo de Phoebe y, cuando sintió que empezaba a faltarle el aire, hizo que ella echara la cabeza hacia atrás, aspiró, y deslizó la lengua por la curva de su cuello.

—Jackson... —murmuró ella.

—Shh... —Jackson frotó la nariz contra su mejilla y le mordisqueó el lóbulo de la oreja—. No pasa nada; déjate llevar.

Tomó su boca una vez más, y cuando Phoebe apretó su pelvis contra la de él, se contuvo apenas para no arquear él también sus caderas contra las de ella. No estaban a solas.

Jackson despegó sus labios de los de Phoebe y tomó su rostro entre ambas manos.

—¿Por qué volvemos a caer en esto una y otra vez? —inquirió ella, con los ojos medios cerrados y los labios hinchados por los besos.

Jackson le acarició los pómulos con los pulgares.

—No lo sé. Pero es agradable, ¿no?

—Sí... Muy agradable... —murmuró ella, inclinándose para besarlo de nuevo.

Jackson deslizó las manos por su espalda, la curva

de sus caderas... y Phoebe, aferrada a sus hombros, ladeó la cabeza para cambiar el ángulo del beso.

Jackson, que se sentía como si estuviese ardiendo, enredó su lengua con la de ella, y pensó en lo increíble que podría ser el sexo entre ellos. ¿Por qué no habrían de entregarse al placer y dispersar aunque solo fuera por unos momentos la oscura soledad que reinaba en sus vidas?

Phoebe gimió de nuevo, y el gemido resultó tan sensual que Jackson tuvo que apartarla de él con suavidad antes de que se olvidaran de dónde estaban.

—Vámonos a casa —le dijo.

Phoebe parpadeó, y a Jackson le entraron ganas de sonreír al ver su expresión confundida.

—¿Qué? —musitó, como si acabara de despertarse de un largo sueño.

Jackson le apartó el pelo de la cara.

—Deberíamos volver al apartamento y acostar a Rex en su cuna.

Se subieron a la parte delantera de la camioneta y se pusieron en camino. Como habían colocado el cuco en el asiento del copiloto, Phoebe iba sentada en el medio, junto a Jackson, que había tomado su mano y, mientras conducía, iba jugueteando con ella, acariciándole el dorso con el pulgar y deslizando sus dedos entre los de ella.

Poco después llegaban a la casa. Jackson apagó el motor, echó el freno de mano y atrajo a Phoebe hacia sí para darle otro beso largo y profundo. Cuando despegó sus labios de los de ella, la sintió temblar.

—Phoebe, tenemos que hablar; tienes que tomar una decisión.

Ella se quedó muy quieta.

—Sabes lo que voy a preguntarte, ¿no? —Jackson le apretó la mano—. ¿Quieres que lo hagamos?

Ella se quedó callada, y al ver que no respondía, esbozó una pequeña sonrisa y le dijo:

—¿Tan difícil es para ti tomar una decisión?

Phoebe no le devolvió la sonrisa.

—La verdad es que sí —respondió—; sobre todo porque sería mi primera vez.

Phoebe se apretó las manos, nerviosa, y estudió la reacción de Jackson a la confesión que acababa de hacerle.

Él se quedó mirándola anonadado y no dijo una palabra. A Phoebe el corazón le martilleaba en el pecho. De pronto se oyeron unos golpes en la ventanilla de Jackson, y los dos dieron un respingo.

Linc y Laura estaban fuera, junto a la camioneta, iluminados por la luz de una farola. Linc dijo algo, aunque no podían oírle con la ventanilla subida, y Laura los saludó moviendo los dedos de la mano.

Jackson, cuyo rostro volvía a ser una máscara inescrutable, bajó la ventanilla.

—¿Qué estáis haciendo aquí? —les preguntó con brusquedad—. ¿No es un poco tarde?

Linc y Laura se miraron el uno al otro y sonrieron.

—Solo son las once, y tenemos dieciocho años —dijo Linc—. Queríamos hablar contigo; necesitamos hablar contigo. ¿Podemos subir con vosotros?

Jackson se giró hacia Phoebe con una ceja enarcada. ¿Quería que fuera ella quien decidiera?

—Claro, cómo no —se apresuró a contestar.

Con Linc y Laura allí le sería más fácil mantener las distancias con Jackson, y quizá podría posponer hasta el día siguiente la conversación que habían estado teniendo.

Sin embargo, Jackson mientras subían las escaleras, con los gemelos delante de ellos, Jack le susurró:

—Antes de que acabe la noche vamos a hablar. Necesito que me expliques de qué va todo esto, porque no lo entiendo.

Phoebe tragó saliva y siguió subiendo sin apartar la vista de los escalones. Ella tampoco lo entendía. Al hacerse a sí misma la promesa de que esperaría a que apareciera el hombre adecuado, también había decidido que hasta ese día se mantendría virgen. Era lo lógico. Y ningún hombre había conseguido hacerle olvidar esa promesa... hasta esa noche.

Cuando entraron en el apartamento invitó a los gemelos a sentarse con Jackson en el salón mientras ella preparaba el biberón de Rex. Luego se llevó al pequeño al dormitorio para dárselo allí, con la excusa de que se distraía cuando había otras personas y no se lo tomaba entero.

Mientras Rex se tomaba el biberón, trazó un plan. Después de acostarlo en la cuna volvería al dormitorio y se metería en la cama. Ya hablaría con Jackson por la mañana, cuando no estuviese tan fresco el recuerdo de sus besos.

Le explicaría calmadamente que no quería tener relaciones con él. No le convenía un hombre como él, que llevaba la vida de un nómada, muy distinta de la clase de vida que ella ansiaba: una vida sustentada sobre los fuertes vínculos de la familia.

Y le parecía un plan perfectamente plausible hasta que salió del dormitorio para llevar a Rex a su cuna. Sin embargo, aunque intentó caminar sin hacer ruido, los ojos de Linc y Laura se posaron en ella en cuanto entró en el salón, y la miraron, como suplicándole que se sentase con ellos. Había un silencio muy incómodo; parecía que Jackson estaba cerrándose a ellos de nuevo.

Phoebe sintió que no podía irse a dormir y dejarlos así. Linc y Laura habían ido allí para ver a su hermano, y a pesar de que él le había dicho que no se entrometiera en su vida, quería ayudarles a restablecer los lazos entre ellos. Por eso, se acercó y les preguntó con una sonrisa:

—¿Os apetece un poco de helado de chocolate?

Linc y Laura asintieron con entusiasmo, y Phoebe se fue a la cocina. Serviría helado para todos, y después de tomárselo con ellos haría mutis por el foro.

Sin embargo, parecía que Jackson no estaba dispuesto a dejarla escapar tan fácilmente, porque cuando cerró la puerta del congelador se lo encontró a su lado, cruzado de brazos y mirándola fijamente.

—¿Qué es eso de que sería tu primera vez? —le preguntó con voz tersa. Tan tersa como la vaina de terciopelo quc oculta la afilada hoja de un sable de acero.

Phoebe tragó saliva.

—¿No podríamos hablar de esto en otro momento?

—No puedo pensar en otra cosa —le espetó él con aspereza.

Probablemente eso explicaba el tenso silencio con el que se había encontrado al salir del dormitorio. Phoebe se mordió el labio.

—¿Vas a explicármelo o no?

¿Cómo podría explicárselo?

—Yo... estaba muy unida a mi madre.

—¿Y qué tiene que ver eso?

Phoebe le dio la espalda para sacar cuatro copas de helado de un armarito.

—Porque mi madre se encontró embarazada de mí cuando era muy joven —le contestó mientras servía el helado—. Me crio ella sola hasta que, cuando yo tenía doce años, conoció a mi padrastro, se enamoraron y se casaron.

—¿Y qué?, ¿que te previno en contra del sexo o qué? —inquirió él.

A Phoebe se le subieron los colores a la cara ante esa pregunta tan directa, y vertió un poco de chocolate en cada copa y agitó el bote de la nata montada antes de contestar.

—Cometió un error en su adolescencia que no quería que yo repitiese. Supongo que podría decirse me previno en contra de equivocarme al escoger pareja.

Nada más pronunciar esas palabras, Phoebe se quedó paralizada. No había pretendido que sonase hiriente, pero estaba segura de que para Jackson debían de haber sido como una bofetada.

—Yo... no quería...

—Lo que intentas decir es que tu madre te previno contra los hombres que no quieren ataduras —la cortó él con aspereza, tomando tres de las copas de helado—. Los hombres con los que no se puede contar; como yo.

—No, Jackson... —replicó ella, pero él ya estaba saliendo de la cocina.

Tomó su copa de la encimera, sin saber muy bien qué hacer. Podría huir al dormitorio, pero ¿cómo iba a ser capaz de conciliar el sueño después de aquel malentendido entre ellos?

Finalmente decidió volver al salón. Cuando Linc y Laura se hubiesen marchado, aclararía las cosas con Jackson. Le haría comprender que no había pretendido herir sus sentimientos.

Jackson ni siquiera la miró cuando se acercó a ellos. Laura estaba hablando y preguntándole sobre algunos detalles acerca de su madre. Era como si, después de haber tenido la oportunidad de hablar con Jackson el día de su cumpleaños, hubiesen empezado a asaltarlos más y más preguntas sobre su infancia.

Phoebe se sentó en el suelo, y apoyó la espalda en uno de los almohadones que se habían llevado al cine. Cuando acabó de tomarse el helado, apoyó la cabeza en el almohadón y mientras escuchaba la conversación de los tres hermanos notó que los ojos empezaban a cerrársele, y sin darse cuenta se quedó dormida.

Cuando Jackson la despertó sacudiéndola suavemente por el hombro, Linc y Laura ya se habían ido.

—Despierta, Phoebe; es hora de que te vayas a la cama.

Ella parpadeó y alzó la vista hacia él. Un mechón le había caído sobre la frente, y sin pensarlo alargó la mano y lo apartó de su rostro.

Cuando sus ojos se encontraron, la intensa mirada de Jackson hizo que un cosquilleo le recorriese la espalda. Su mente le recordó lo que había pensado decirle. Tenía que ser sincera con él.

—Jackson... —comenzó, pero sin querer su voz sonó como un sugerente susurro.

Él sacudió la cabeza.

—No —la cortó con firmeza—, no me vas a llevar de nuevo por ese camino.

Y antes de que ella pudiera decir nada más la alzó en volandas y la llevó al dormitorio. La dejó caer sin miramientos sobre el colchón, pero se quedó allí de pie, mirándola fijamente.

—Buenas noches, Phoebe.

Era lo mejor, que se despidiesen y no ocurriese nada entre ellos, se dijo intentando convencerse a sí misma. Debía esperar al hombre adecuado; era lo que quería. Sin embargo, a pesar de decirse eso, no podía negar que la seducía el fuego que había en sus ojos, y que no podía dejar de fantasear con su ancho tórax y sus fuertes brazos.

Jackson gruñó irritado.

—¿Por qué? ¿Por qué no me lo dijiste antes? ¡Por amor de Dios, en la camioneta habrías dejado que te hiciera cualquier cosa! ¿Por qué no me dijiste que parara?

Y entonces, de pronto, Phoebe no pudo evitar que, a pesar de las promesas que se había hecho, de lo que le aconsejaba el sentido común, y de sus planes para el futuro, se le escapara la verdad.

—Porque no quería que pararas.

Capítulo 10

JACKSON y ella se merecían un premio. Se les daba muy bien aquello de fingir. No solo habían convencido a la señora Bee y a los demás inquilinos de que se habían casado, sino que durante casi una semana habían estado fingiendo que ella no le había confesado que le había confesado después de que se fuesen Linc y Laura.

Phoebe suspiró y exprimió la esponja que tenía en la mano sobre la barriguita de Rex, al que estaba lavando en su bañerita, sobre la encimera del lavabo. Sí, se les daba muy bien fingir, pero a ella no le resultaba tan fácil cuando lo tenía cerca, y la verdad era que no podía dejar de pensar en él.

De repente, el suelo del baño empezó a temblar. Phoebe se apresuró a soltar la esponja para sujetar el borde de la bañerita de plástico para que no se volcara.

El suelo temblaba de tal modo que el agua se salía de ella.

Jackson se asomó a la puerta.

—¿Estáis bien, Phoebe?

Justo en ese momento el temblor paró. Phoebe parpadeó y miró a Rex, que parecía tan sorprendido como ella por aquel repentino seísmo.

—Vaya, este se ha notado bien —le dijo a Jackson.

—Ya lo creo —asintió él—. Parece que ha pasado, pero por si acaso saquemos a Rex del agua.

Entró en el cuarto de baño y alargó el brazo para alcanzar la toalla que ella había dejado doblada sobre la cisterna del inodoro, y como no había mucho espacio, el roce de su cuerpo contra su espalda hizo que un cosquilleo la recorriese.

Jackson desdobló la toalla y la extendió para que le pasase al bebé. Phoebe lo sacó del agua y lo puso en sus brazos.

—¿Qué pasa, pequeñajo? —le susurró Jackson a Rex con una sonrisa, mientras ella lo envolvía en la toalla—. Cuando el suelo ha empezado a temblar, por un momento me he preocupado por ti.

Phoebe no pudo evitar que se le derritiera el corazón con aquella escena tan tierna. Debería apartarse, poner una distancia mínima de seguridad entre ellos, pero era como si se hubiese quedado clavada al suelo. Y de repente, cuando sus ojos se encontraron con los de él, sintió algo en su interior, como si la sacudiera un rayo, y supo que no quería seguir esperando.

Jackson podía sentir la presencia de Phoebe, y su

vacilación, de pie entre el cuarto de baño, donde acababa de darse una ducha como cada día, y el dormitorio, al que esperaba que entrase de una vez.

—Buenas noches, Phoebe —le dijo, tratando de parecer indiferente y despreocupado.

Ni siquiera se volvió, sino que siguió de espaldas a ella, con la vista fija en la pantalla del televisor.

Sin embargo, como si tuviera ojos en la nuca, tuvo la sensación de que Phoebe no se había movido. Sabía que seguía allí, entre el baño y el dormitorio, y probablemente estaría retorciéndose las manos, un gesto nervioso que parecía haber adquirido desde el pequeño temblor de aquella tarde.

Desde que le había confesado que era virgen le costaba no mirarla cuando estaban en la misma habitación. No podía dejar de preguntarse hasta qué punto lo era. Porque había vírgenes y... bueno, vírgenes. No podía evitar preguntarse dónde la habrían tocado y dónde no. Y por más que se decía que no era asunto suyo, se encontraba posando la mirada en sus pechos, en sus nalgas redondeadas...

Incluso en ese momento se moría por volverse y mirarla, pero apretó los dientes y se contuvo. ¿Por qué se torturaba de aquel modo? Phoebe no era para él. Como ella misma había dicho, su madre le había prevenido contra los hombres que eran incapaces de comprometerse; los hombres como él.

De pronto la oyó ir hacia él, y por el rabillo del ojo la vio sentarse a su lado.

—Creo que veré un rato la televisión contigo —dijo.

—Pues eso es raro en ti —contestó él sin despegar la vista de la pantalla.

Su voz había sonado un tanto agria. Mejor, pensó. Así a lo mejor se iba pronto a dormir.

Phoebe ignoró esa descortesía y respondió:

—Es que estoy un poco... inquieta. Debe de ser por lo del terremoto de esta tarde.

—No te preocupes; solo ha sido un terremoto sin importancia.

Sin embargo, a él también le escamaba un poco que hubiesen tenido dos tan seguidos. El programa que había estado viendo fue interrumpido por los anuncios, y con el mando a distancia cambió a un canal para los amantes de los coches. En ese también estaban poniendo anuncios, y en ese momento uno de lubricantes para motores. Tal vez si consiguiese aburrirla se iría a la cama y dejaría de atormentarlo.

Como después de ese anuncio vino otro de un restaurante de comida rápida, decidió cambiar otra vez de canal, y se encontró con un documental en el que un león estaba despedazando a una cebra.

—¡Por Dios, qué espanto! —murmuró Phoebe, entre horrorizada y asqueada.

Perfecto, pensó Jackson, apoyando los pies en la mesita. Un poco de sangre y vísceras harían que se fuera.

—Después de ver esto no creo que sea capaz de conciliar el sueño —comentó Phoebe.

Jackson cerró los ojos y dejó caer la cabeza hacia atrás. Aquello no estaba funcionando. Cambio de plan: fingiría aburrirse con lo que escogiera y haría como que se había quedado dormido. Así a lo mejor captaría la indirecta y se iría a la cama.

—¿Hay algo que quieras ver? —le preguntó—. Toma, escoge tú —le dijo tendiéndole el mando.

Phoebe lo tomó y empezó a pasar de un canal a otro sin detenerse en ninguno. Jackson cerró los ojos y oyó un par de minutos de una comedia con risas enlatadas. Luego apenas unos segundos de un tiroteo y sirenas de coches de policía. Después unos cuantos minutos de un concurso de preguntas y respuestas. Jackson mantuvo los ojos cerrados todo el tiempo, y la cosa iba bien hasta que Phoebe se detuvo en un canal en el que prácticamente lo único que se oían eran susurros y los gemidos de un hombre y una mujer.

Jackson tragó saliva. ¿Pero qué diablos estaba viendo? ¿Qué se suponía que debía hacer? No sabía cuánto tiempo más podría fingir estar dormido con ella a su lado viendo lo que debía de ser cuando menos una película erótica. Como se le ocurriese bajar la vista a sus pantalones de un momento a otro, y aunque fuese virgen, sabría sin lugar a dudas que no estaba dormido.

De pronto la mujer de la pantalla emitió un intenso gemido de satisfacción, y Jackson ya no pudo más. Se irguió en el asiento, agarró el mando, que estaba a su lado, y apagó el televisor.

Fue entonces cuando sus ojos se posaron en Phoebe y vio lo que llevaba puesto: una especie de salto de cama muy sexy de una tela increíblemente fina. Parpadeó, preguntándose si no estaría soñando.

—¿Qué...? —tuvo que tragar saliva para seguir hablando—. ¿Pero qué llevas puesto?

La prenda era tan corta que apenas le llegaba a la mitad del muslo, y apenas se atrevía a mirarle el escote, que no parecía tener fin.

Phoebe también tragó saliva.

—¿Esto? —inquirió—. Pues es lo que me suelo poner cuando estoy... acalorada.

La ola de calor había pasado hacía unos días, pero Jackson tuvo de repente la impresión de que había vuelto.

Phoebe se movió en su asiento, y el escote de la prenda se abrió un poco, dejando al descubierto la pálida curva de uno de sus senos. Una ola de calor afloró en el vientre de Jackson, y se encontró preguntándose de nuevo qué significaba ser «virgen» para Phoebe.

¿Habría tocado algún hombre esa dulce piel que parecía de seda? Y si algún hombre la había tocado, ¿por qué sentía deseos de salir a buscarlo y machacarlo?

Se apretó el puente de la nariz con el índice y el pulgar.

—Phoebe, tienes que irte.

—¿Por qué?

¿Tan inocente era que no sabía el efecto que ese... camisón, por llamarlo de alguna manera, estaba teniendo en él?

—Por eso que llevas puesto.

Phoebe bajó la vista y alisó la tela que apenas cubría sus muslos, como vergonzosa.

—¿Tiene algo de malo?

A Jackson se le ocurrió alzar la mirada en ese momento, y vio que sus pezones se marcaban bajo la fina tela. Jackson, que se notaba la entrepierna cada vez más tirante, gruñó de frustración.

—Que me está volviendo loco.

Phoebe esbozó una pequeña sonrisa.

—Si esto sigue así, uno de nosotros va a acabar perdiendo algo.

Él, por supuesto; la cordura.

Phoebe apartó la vista.

—Pues espero que sea yo —murmuró.

Jackson parpadeó.

—¿Qué?

Phoebe volvió a mirarlo e inspiró.

—Me refiero a que... —se quedó callada y se frotó las palmas de las manos contra el regazo—. A que espero perder...

De repente entró una ráfaga de aire por la ventana entreabierta, que arrojó al suelo unos papeles que Phoebe tenía sobre la mesa del comedor. Los dos se levantaron de inmediato, él a cerrar la ventana y ella a recoger lo que se había caído para ponerlos de nuevo sobre la mesa. Jackson, que había ido a ayudarla, se irguió y dejó sobre la mesa el último papel que quedaba en el suelo.

Sus ojos se encontraron. Phoebe se mordió el labio y Jackson tragó saliva.

—¿Qué estabas diciéndome antes? —le preguntó.

Phoebe tragó saliva también, se humedeció los labios y apartó la vista.

—No, nada, que me voy a la cama —murmuró apartándose de él—. Buenas noches, Jackson.

Él entornó los ojos pero dejó que se fuera. ¿Acaso no era lo que quería?

—Buenas noches.

Sin embargo, la situación no mejoró cuando Phoebe se hubo marchado. Volvió a encender el televisor, pero pusiera el canal que pusiera no conseguía apartar de su mente la imagen de Phoebe con aquel camisón tan sexy.

De pronto empezó a oír unos golpecitos, que parecían provenir del dormitorio. Jackson apagó el televisor, se quedó escuchando, y dedujo que era el viento, golpeando la persiana contra el alféizar. Estupendo. Con la mala suerte que tenía, el ruido despertaría a Phoebe y volvería al salón a torturarlo.

Se levantó del sofá decidido a ponerle remedio antes de que eso ocurriera. Abrió muy despacio la puerta del dormitorio. Sin mirar hacia la cama, fue hasta la ventana. Solo tuvo que tirar del cordón para enrollarla y que el viento dejara de golpearla. Con la persiana enrollada entraba la luz de la luna, pero ¿qué mal podía hacer un poco de luz de luna?

Aquella pregunta retórica obtuvo respuesta tan pronto como se dio la vuelta y sus ojos se posaron en la cama. La luz de la luna, aunque tenue, la iluminaba, y vio que Phoebe se había destapado, y que el camisón se le había subido un poco, y que se le había resbalado un tirante. Aquella visión le cortó la respiración.

Sin hacer ruido se dirigió hacia la puerta, pero cuando pasaba junto a la cama Phoebe se movió y abrió los ojos.

—Estás aquí —murmuró como si no la sorprendiera, como si hubiese esperado encontrarlo allí.

—Yo... yo ya me iba —balbució él, señalando la puerta detrás de sí.

—¿Sin darme un beso de buenas noches?

Como su voz sonaba soñolienta, Jackson sopesó si debería dárselo. Solo porque si estaba medio dormida sería la manera más rápida de hacer que volviera a dormirse; no porque sus labios, a la luz de la luna, resultasen aún más tentadores. Y para evitar el peligro solo le daría un casto beso en la frente, decidió.

Sin embargo, cuando se inclinó y Phoebe lo agarró por el cuello de la camisa, atrayendo sus labios hacia los suyos, él no pudo contenerse y la besó.

Apretó los puños para no tocarla, pero Phoebe abrió la boca y el beso se convirtió en un ardiente beso con lengua. Jackson intentó apoyar las manos para no perder el equilibrio, pero sin previo aviso Phoebe volvió a tirar del cuello de su camisa y cayó sobre ella.

Continuaron besándose, casi con desesperación, y cuando consiguió, con un gran esfuerzo, despegar sus labios de los de ella, Phoebe gimió y, asiéndolo por los hombros, le suplicó que no se fuera.

—Debo hacerlo —le dijo él.

—No... —le suplicó ella de nuevo—. Quédate. Quédate y hazme el amor.

Jackson gimió de frustración.

—No sabes lo que estás diciendo.

—Sí que lo sé. Es que cuando me preguntaste antes, en la camioneta, no tuve valor para decirte que sí.

Jackson cerró los ojos con fuerza un instante.

—No insistas más, por favor —tomó su rostro entre ambas manos, mientras intentaba reunir la fuerza suficiente como para levantarse e irse.

Phoebe le rodeó el cuello con los brazos.

—No irás a decirme que ahora te vas a poner todo caballeroso conmigo.

Jackson suspiró.

—Phoebe, tú sabes que no soy la clase de hombre que te conviene.

Ella frunció el ceño.

—Demuéstramelo.

—¿Eh?

—Que si tanto mal crees que puedes hacerme, demuéstramelo. Porque la clase de hombre que crees que eres, sucumbiría a sus instintos y se aprovecharía de mí sin pensárselo dos veces.

—Mira, Phoebe, no voy a caer en esa trampa. Si hemos resistido la tentación hasta ahora, podemos seguir haciéndolo unos cuantos días más, hasta que me vaya.

Phoebe frunció los labios.

—Pero es que yo no quiero seguir resistiéndome.

—No seas tonta; has estado reservándote para...

—Para cuando llegase el momento adecuado —lo cortó ella—. Y ese momento es ahora.

—Aunque lo hiciéramos, no cambiaría nada, Phoebe; yo no...

—Lo sé, aunque lo hagamos te irás; no espero que te quedes.

Él la miró exasperado, y Phoebe aprovechó que estaba distraído para hacerlo rodar y colocarse encima de él.

—Phoebe, me dijiste... —comenzó Jackson, y tuvo que tragar saliva para poder continuar—. Me dijiste que estabas esperando al hombre adecuado.

—Ya no —le susurró ella—. Estaba esperando, sí, pero ahora sé que era a ti a quien estaba esperando.

¿Cómo podía un hombre oír esas cosas y seguir resistiendo la tentación? Él desde luego había llegado al límite.

—Dime que estás segura —le dijo con voz ronca.

Cuando Phoebe asintió con solemnidad, tomó su rostro entre ambas manos y la besó con fruición antes de hacerla rodar sobre el colchón, como había hecho ella con él, para colocarse entre sus piernas abiertas.

Phoebe lo rodeó con ellas y apretó su pelvis contra la de él, arrancando un profundo gemido de su garganta. Apenas podía prestar atención a la vocecilla que intentaba recordarle que era su primera vez y que debería ir despacio y mostrarse tierno con ella. Pero entonces Phoebe, sorprendiéndolo una vez más, le susurró jadeante al oído:

—Te deseo tanto, Jackson... No te contengas, por favor.

Él se incorporó, apoyándose en las rodillas, bajó la vista a su hermoso cuerpo, y sin el menor reparo agarró el camisón por el escote y lo rasgó por completo.

Phoebe profirió un gemido ahogado y lo miró con unos ojos como platos, pero cuando puso las manos sobre sus turgentes pechos, bañados por la luz de la luna, se arqueó contra sus palmas, y él sintió tal punzada de placer en la entrepierna que tuvo que apretar los dientes.

Acarició los pezones erectos de Phoebe con los pulgares, observando cómo se contraía su rostro de excitación, y cuando agachó la cabeza para lamer uno de ellos, Phoebe lo asió por la nuca, como pidiéndole que no parara.

Tomó la areola en la boca y comenzó a succionarla, pero se sentía como si jamás fuese a saciar el apetito que despertaban en él sus pechos. Los lamió, los succionó, los acarició y masajeó hasta que a Phoebe solo le faltó salir llorando de placer. En un momento dado ella lo interrumpió para desabrocharle la camisa, y él la ayudó para luego arrojarla a un lado y frotar su pecho contra sus pezones húmedos mientras volvía a besarla.

—No te contengas, Jackson —le suplicó ella de nuevo cuando se separaron sus labios.

Él enganchó los dedos en el elástico de sus braguitas y se las quitó.

—Voy a hacerte mía —le dijo—, en todos los sentidos.

Sus manos subieron por las largas piernas de ella y Phoebe cerró los ojos cuando se acercaron a la parte más íntima de su cuerpo. Al poner una mano contra su pubis, Phoebe atrapó su brazo entre sus muslos, inmovilizándolo.

—¿Ocurre algo? —le preguntó.

Phoebe había abierto los ojos y en sus ojos había una sonrisilla traviesa.

—No es justo —le dijo—. Tú también deberías quitarte el resto de la ropa.

A Jackson le gustaba ese lado suyo juguetón, y lo agradó que no apartara la vista cuando se bajó los pantalones y los calzoncillos. De hecho, lo alivió que no hubiera temor en su rostro cuando sus ojos vieron hasta qué punto estaba excitado.

En vez de asustada parecía fascinada.

—Madre mía... —murmuró, alargando una mano para tocarlo.

Jackson la detuvo.

—Será mejor que dejemos eso para otra ocasión.

Phoebe frunció el ceño.

—¿Lo prometes?

«Ya lo creo», pensó él.

—Lo prometo.

Se tumbó junto a ella y comenzó a acariciarla de nuevo, recorriendo con sus manos todo su cuerpo. La respiración de Phoebe pronto se tornó agitada y su cuerpo empezó a temblar, pero evitó tocarla donde más ansiaba tocarla.

Cuando finalmente sus dedos se aventuraron entre los suaves pliegues de su sexo, Phoebe dio un respingo. Jackson le acarició la pierna con la mano libre y sus dedos continuaron explorándola. Estaba húmeda y caliente. Se inclinó para lamerla, e introdujo un dedo en su interior.

La espalda de Phoebe se arqueó y de su garganta escapó un gemido. Jackson no la hizo esperar demasiado antes de sacar el dedo y volver a hundirlo en ella una y otra vez.

—Jackson...

—Shh...

Sin dejar de darle placer la besó, y cuando le tocó el clítoris, Phoebe volvió a dar un respingo. Jackson jugueteó suavemente con él hasta que ella comenzó a sacudir la cabeza de un lado a otro sobre la almohada.

Solo entonces se bajó de la cama y fue corriendo a por un preservativo. Regresó a toda prisa al dormitorio, y en cuanto se lo hubo puesto, se colocó entre los muslos de Phoebe y la tocó de nuevo hasta que empezó a sacudir la cabeza otra vez. Entonces la penetró, y la oyó gemir de sorpresa y de satisfacción.

Jackson comenzó a mover las caderas, y pronto Phoebe empezó a convulsionarse debajo de él. Resistió su propia necesidad todo lo que pudo, y cuando finalmente ella alcanzó el clímax, él se dejó ir también.

Capítulo 11

ACURRUCADA en los brazos de Jackson, Phoebe fingió que estaba dormida. El corazón aún le latía como loco y todavía no podía creerse lo que había ocurrido. ¡Habían hecho el amor! ¡Había hecho el amor con Jackson!

Se estremeció, aunque esperó que él no lo notara, al pensar en el momento en que le había rasgado el camisón, al recordar la pasión escrita en su rostro, y la sensación de sus fuertes manos en su piel. Lo había deseado de tal modo que, cuando finalmente la había penetrado, apenas había sentido dolor.

Se estremeció de nuevo, y él debió de pensar que tenía frío, porque alargó el brazo para tirar de la ropa de la cama y cubrirlos a ambos.

Luego le acarició el hombro con suavidad, y eso le recordó la dulzura con que le había hecho el amor, el cuidado con que había salido de ella tras el orgasmo, y la ternura con que la había besado, una ternura que casi había hecho que se le saltaran las lágrimas.

Las había contenido porque sabía que él no lo habría entendido si la hubiese visto llorar, y lo último que quería era que malinterpretara su reacción y se arrepintiera de lo que acababan de hacer.

Se había enamorado de él, y aunque hasta entonces había creído que cuando se enamorase sonarían fanfarrias y habría fuegos artificiales, en vez de eso era como si los engranajes de una compleja cerradura hubiesen girado, encajando unos con otros, y su corazón se hubiese abierto con un clic, dejando salir los apasionados sentimientos que había mantenido a buen resguardo en él toda su vida.

No tenía muy claro cómo se suponía que debía actuar después de lo que habían compartido y ahora que sabía que se había enamorado de él. Quizá debería dejar que fuese él quien decidiese qué rumbo deberían tomar las cosas. Eso sería lo más simple, dejar que él llevase las riendas. Pero... ¿y si la conducía a un callejón sin salida? De pronto tuvo un mal presentimiento de que era eso lo que iba a ocurrir.

Desde el principio le había dicho que no era la clase de hombre que se comprometía, y esa misma noche que, aunque hicieran el amor, no iba a cambiar nada. Los ojos se le llenaron de lágrimas, pero cerró los ojos con fuerza para contenerlas y tragó saliva.

Lo amaría por lo que habían compartido esa noche, probablemente toda su vida, pero porque lo amaba lo dejaría marchar y no lo retendría, y cuando se hubiera marchado se consolaría recordando esas semanas con él.

La luz del sol que despertó a Jackson era tan cegadora que sintió una punzada en la cabeza al abrir los ojos, como si tuviera una resaca de campeonato. ¿Quién era el idiota que había dejado la persiana subida?, se preguntó. Y entonces se acordó de que había sido él.

Luego acudió a su mente el recuerdo de todo lo demás que había pasado la noche anterior: los besos, las caricias, el calor húmedo de la parte más íntima del cuerpo de Phoebe... Nunca olvidaría la satisfacción que había sentido al penetrarla, porque era el primer hombre en hacerlo, y al verla alcanzar el clímax.

Había sido increíble, pero parecía que eso no había alterado las costumbres de Phoebe, que ya se había levantado. La oyó hablándole a Rex a través de la puerta cerrada. Miró el reloj de la mesilla. Era mediodía; más de mediodía. Hora de afrontar la situación y hablar con Phoebe.

Quería asegurarse de que estaba bien, de que no se arrepentía de lo que habían hecho... y de que era consciente de que aquello no iba a cambiar nada entre ellos.

Se bajó de la cama, se puso los vaqueros y salió del dormitorio. Lo que se encontró lo dejó mudo y perplejo.

Phoebe estaba sentada en la mesa del comedor, rodeada de fotografías y con un pequeño álbum de fotos delante, mientras que Rex, sentado en su cuco sobre la mesa, la observaba calmadamente. Pero no fue nada de eso lo que lo sorprendió. Lo que lo dejó patidifuso fue la sonrisa radiante y despreocupada que le dirigió Phoebe, la dulzura con la que le dio los buenos días, su vestido de flores y la mirada pura y cristalina en sus ojos grises.

Cuando recobró el habla le dijo:

—Estás... estás...

Phoebe enarcó las cejas.

—¿Que estoy qué?

Él sacudió la cabeza, incapaz de expresarse con palabras.

—¿Despierta? —aventuró ella—. ¿Charlando con Rex? —al ver que él seguía aturdido, se rio e intentó de nuevo averiguar qué quería decirle—. ¿Respirando? ¿Sonriendo? ¿Qué?

Jackson la señaló con un vago ademán.

—Pues que sigues igual de...

«Inocente», era lo que quería decir. No era que hubiese esperado encontrarla cambiada, pero, después de lo que habían hecho esa noche, lo último que había esperado era verla con el mismo aspecto dulce y virginal de siempre.

Le entraron ganas de llevársela a la cama de nuevo, de marcarla de algún modo para que se viese que la había hecho suya, y que había sido el primero. Sin embargo, no tenía ningún derecho a sentirse así de posesivo con respecto a ella.

—Es igual. Respecto a lo de anoche...

Habría querido decirle que la noche pasada había sido la más increíble de toda su vida, pero no habría sido justo; no cuando pronto se marcharía.

Phoebe bajó la vista, pero, cuando volvió a alzarla, lo miró a los ojos, y le dijo con sinceridad:

—Fue estupendo. Gracias por hacer que fuera tan especial.

Y volvió a lo que estaba haciendo.

¿Estupendo? ¿Gracias por hacerlo tan especial?

—¿Eso es todo lo que tienes que decir? —le espetó Jackson—. ¿Ya está?

Ella volvió a alzar la vista, y lo miró sorprendida.

—¿Quieres que te dé más detalles?

—¡No!

Bueno, sí, pero no iba a decirle eso.

—Solo quería saber si estabas bien. ¿Te... te hice daño?

Phoebe sacudió la cabeza.

—Estoy bien. Por cierto, acabo de hacer café, si te apetece.

¿Café? Parecía que se había levantado de la cama y se había entregado a su rutina diaria como si tal cosa: cuidar de Rex, hacer su trabajo, preparar el café... ¿No debería tomarse un pequeño descanso al menos después de su primera vez?, ¿algo de tiempo para asimilarlo? ¡O hablar sobre ello con él, por amor de Dios!

A pesar de todo fue a la cocina a servirse una taza de café.

—¿Tú también quieres? —le preguntó desde la cocina.

—No, gracias, ya he tomado —contestó ella alegremente.

Quizá demasiado alegremente, pensó. ¿Tan poco le había afectado lo que había ocurrido entre ellos la noche anterior, o es que estaba fingiendo? Quizá sí le había hecho daño; física, o emocionalmente.

—Phoebe —la llamó cuando volvió al salón.

—¿Sí? —inquirió ella sin alzar la vista.

Jackson resopló de pura frustración.

—Mírame.

Phoebe levantó la cabeza.

—¿Seguro que estás bien? —le preguntó—. Te noto rara.

—Bueno...

Lo sabía.

—¿Te hice daño? Quizá si te dieras un baño caliente o si...

—No es eso —replicó ella sonrojándose—. Es solo que esperaba que durmieras un poco más.

Jackson volvió a fruncir el ceño. ¿Acaso habría planeado sorprenderlo volviendo a la cama con él? Su cuerpo reaccionó de inmediato a ese pensamiento.

—Phoebe...

Debería decirle que no, que era demasiado pronto, pero la deseaba tanto...

Ella tapó con las manos las fotos que tenía frente a sí.

—Te estoy preparando una sorpresa y esperaba tenerla acabada antes de que te levantaras.

Jackson parpadeó.

—¿Eh? ¿Una sorpresa?

Quizá estaba equivocado y Phoebe no estaba hablándole de otra sesión de sexo.

—¿No has visto nada? —le preguntó ella.

—¿Ver qué? —inquirió él apartando sus manos para ver qué estaba ocultando.

Eran fotos de Rex, y en varias de ellas estaba él también. Phoebe siempre estaba haciendo fotos del bebé, como una madre primeriza. Y entonces comprendió de qué iba aquello: las fotos y el álbum.

Phoebe se encogió de hombros y una sonrisa vergonzosa asomó a sus labios.

—Para que te acuerdes de nosotros... de Rex. Cuando te vayas quiero decir. ¡Sorpresa!

¡Y él que estaba preocupado pensando que le había hecho daño! Parecía que con aquella noche Phoebe había obtenido lo que necesitaba y ya no quería nada más de él. Estupendo. Ahora ya sabía a qué atenerse.

Cuando Phoebe le dijo que esa tarde iba a llevarse a Rex a dar un paseo por el parque, a Jackson le pareció una buena idea y se ofreció a ayudarla a bajar el carrito y la bolsa con las cosas del bebé.

Aunque ella parecía tan tranquila, él se sentía incómodo. Tal vez fuera porque nunca había vivido con una mujer con la que se había acostado. Además, durante el tiempo que estaba en el apartamento, no hacía más que acordarse de esa noche: el ver la cama al pasar junto a la puerta abierta del dormitorio, el olor del perfume en el cuarto de baño... y también se lo recordaba el ver a Phoebe, por supuesto.

Por eso mientras bajaba las escaleras con ella, cargando con el carrito y la bolsa de tela, lo invadió un inmenso alivio. Al fin tendría unas horas para estar solo.

Con lo que no había contado era con la metomentodo de la señora Bee, cuya puerta se abrió justo cuando estaba girándose para darle a Phoebe la bolsa. Al verlos, sonrió encantada de oreja a oreja.

—¡Ya me parecía a mí que había oído ruido en el pasillo! —exclamó—. Tenéis que pasar un momento; hay unas personas a las que quiero que conozcáis.

A través de la puerta abierta, Jackson vio a un grupo de ancianas tomando té, y a un hombre de mediana edad con alzacuellos.

—Es que íbamos al parque, señora Bee —le dijo Phoebe, que ya había sentado a Rex en el carrito.

La casera se enganchó al antebrazo de Jackson.

—Será solo unos minutos; le he estado hablando tanto de vosotros a mi círculo de la parroquia...

Jackson miró a Phoebe con impotencia, y dejó que la señora Bee lo arrastrara dentro del apartamento. Phoebe cerró tras de sí y los siguió hasta el salón con el carrito.

La señora Bee prácticamente empujó a Jackson para que se sentara en una silla libre y le indicó otra a Phoebe.

—Aquí los tenéis —le dijo con satisfacción a las demás ancianas y al clérigo—. Estos son los vecinos que os decía, la pareja a la que he unido.

Las mujeres los miraron con curiosidad, y el párroco se levantó para estrecharle la mano a Jackson y a Phoebe.

—Un placer —les dijo con una sonrisa.

Rex empezó a protestar, y en cuanto Phoebe lo levantó del carrito para calmarlo, las mujeres le pidieron que se lo dejara ver.

—Es adorable —dijo una.

—¡Qué bebé tan grandote! —dijo otra.

—Es monísimo —intervino una tercera, tocando el moflete del pequeño con su mano arrugada.

—¡Y cómo se parece a su papá! —comentó otra, sonriendo a Jackson.

Él le devolvió la sonrisa, y de pronto se dio cuenta de que se refería a él. ¡Creía que era el padre de Rex!

Abrió la boca para aclararle que se estaba equivocando, pero las señoras empezaron a parlotear todas a la vez y a hacerle carantoñas al pequeño. Jackson se giró en su asiento, con la esperanza de que Phoebe o la casera aclararan la confusión, pero la primera estaba muy ocupada respondiendo a las preguntas de las ancianas, y la señora Bee había ido a la cocina y volvía en ese momento con dos tazas de té, una para Phoebe y otra para él.

—Déjale el bebé a Marian y siéntate —le ordenó la casera a Phoebe—; os he servido té a los dos.

Aunque Phoebe miró con preocupación a la septuagenaria que le tendía los brazos para tomar al pequeño, finalmente dejó que lo tomara y se sentó en una silla. La casera le dio una taza de porcelana con su platillo, y otra a Jackson, que la tomó como si fuese una serpiente de cascabel.

¿Encima tenía que tomar té? ¿Acaso no había tenido que aguantar bastante en las últimas semanas? Un bebé, fingir que Phoebe y él se habían casado, juegos en el parque con padres y niños... ¿Y ahora aquello? ¿Tomar el té con un grupo de ancianas?

El párroco, que estaba sentado frente a él, se inclinó para preguntarle por el nombre del bebé.

—Rex —contestó Jackson.

—¿Es un diminutivo? ¿Se llamaba así alguien de la familia? —inquirió el párroco.

Jackson parpadeó.

—Pues...

—Sí —intervino Phoebe—. Era el nombre de mi padrastro; Rexford James.

Jackson respiró aliviado. Había estado a punto de meter la pata. Aunque la señora Bee sabía que no era el padre de Rex, sospechaba que le parecería extraño que no supiera el nombre completo.

—Jackson, Phoebe y el bebé han sido como un soplo de aire fresco para esta casa —proclamó la señora Bee, como si hubiese olvidado que había intentado echar de allí a Phoebe—. Y últimamente he visto a más gente joven por aquí. Deben de ser parientes tuyos, Jackson, porque se parecían mucho a ti.

A aquella vieja chismosa no se le escapaba nada.

—Ah, sí, son mis hermanos.

—¿Y qué edad tienen? —inquirió la casera.

—Dieciocho —contestó él—. En septiembre empiezan a estudiar en UCLA.

El orgullo que destilaron sus palabras lo sorprendió. ¿Estaba orgulloso de ellos? Creía que durante todos esos años había logrado distanciarse emocionalmente. Lo había hecho por ellos, y también por sí mismo. Linc y Laura parecía contentos de haber podido reencontrarse con él, y a él le había alegrado que se acordaran de él, pero no quería que las cosas fuesen más allá. No quería que se viesen obligados a «cargar» con él durante los próximos cincuenta años, a invitarlo a cenar en Acción de Gracias cuando se casaran y cosas así. No estaban atados a él; eran libres de vivir su vida como quisieran.

El pastor, sonriente, le tendió con una sonrisa una tarjeta de la iglesia en la que venía la dirección y los horarios de las misas.

—Estaríamos encantados de verlos a su familia y a usted los domingos —le dijo.

«Su familia»... Jackson se quedó mirando la tarjeta, y se le puso la mano tan sudosa, que el cartón se reblandeció.

Por suerte Phoebe dejó su taza sobre la mesita en ese momento y se puso de pie.

—Muchísimas gracias por el té, señora Bee, pero deberíamos irnos ya.

Jackson se levantó como un resorte. Las señoras y el párroco se despidieron de ellos, pero él solo oyó un murmullo de voces, porque en su cabeza no dejaban de resonar dos palabras: su familia, su familia, su familia...

Alguien le tendió a Rex y él lo tomó de un modo casi automático, y lo invadió un extraño consuelo al sentir el calor del pequeño. Rex movió la carita contra su cuello, y emitió un gemido quejoso.

—Creo que tiene hambre —le dijo a Phoebe.

Ella asintió.

—Pues entonces subamos a casa.

A casa... Mientras subían las escaleras esas palabras también resonaban en su mente, y cuando entraron en el apartamento Jackson se notaba inquieto, desasosegado.

—Yo... —se volvió hacia Phoebe—. Yo...

Ella frunció el ceño.

—¿Te ocurre algo?

Jackson volvió a ver en sus ojos limpios el cielo al amanecer, un amanecer lleno de posibilidades.

—No, nada, es que no me gusta mucho el té —murmuró él, aunque no era lo que quería decir.

Phoebe sonrió.

—Se te notaba. Pero no ha estado mal, ¿no? El pastor y las señoras de la parroquia son muy agradables.

Jackson quería tirarse de los pelos. ¡Que no había estado mal! Se suponía que debería sentirse incómodo por el hecho de que aquellas mujeres hubiesen pensado que era el marido de Phoebe y el padre de Rex. Y se suponía que debería inquietarle haber retomado el contacto con sus hermanos. Pero en vez de eso todo parecía tan... normal.

Se pasó una mano por el pelo con la mano libre. Todo aquello era un peligro. No podía permitir que en un mes se le olvidaran todas las lecciones que había aprendido a lo largo de los últimos catorce años. Ya iba siendo hora de que reforzara los muros que había levantado entre el mundo y él. Porque muy pronto se marcharía, y quería hacerlo sintiéndose libre, sin remordimientos.

Capítulo 12

ERA otra tarde insoportablemente calurosa, pero a pesar del calor Phoebe tenía a Rex en brazos, porque necesitaba sentirlo cerca mientras leía los anuncios por palabras en el periódico.

—No quiero que te preocupes demasiado —le dijo al pequeño—, pero el mes está a punto de acabar y tenemos que ver qué opciones tenemos.

Hacía dos semanas que no sabía nada de Teddy, Jackson pronto se iría, y no estaba segura de poder mantener engañada a la señora Bee por mucho tiempo cuando se hubiese ido.

—«Apartamento de un dormitorio, gastos de comunidad pagados, lavandería en el sótano del edificio» —leyó en voz alta—. ¿Qué te parece este, Rex? —le preguntó al bebé, y mientras redondeaba el anuncio con un bolígrafo, leyó también la dirección.

—Esa zona no es segura; no dejaré que te mudes ahí.

Al oír la voz de Jackson, a Phoebe se le fue la mano e hizo un rayajo en el periódico, pero no alzó la vista. Aunque continuaban compartiendo la cama, era a horas distintas, y no habían vuelto a hacer el amor. Y aunque seguía mostrándose amable con ella y la ayudaba en la casa con todo lo que podía, era evidente que estaba tratando de distanciarse de Rex y de ella.

Igual que de Linc y de Laura. Lo habían llamado un par de veces la semana anterior, y ella se lo había dicho, pero estaba segura de que no les había devuelto la llamada. Pasó la hoja del periódico y siguió leyendo anuncios.

—Phoebe, me has oído, ¿verdad? —le preguntó él.

Ella levantó finalmente la vista. Jackson no estaba afeitado y tenía el cabello revuelto; era evidente que se acababa de levantar.

—Esa no es una buena zona —repitió yendo hacia ella—. De hecho, no sé ni por qué estás mirando esos anuncios.

—Porque tengo que hacerlo —contestó ella—. Los dos sabemos que no podré aplacar eternamente las sospechas de la señora Bee.

—Al diablo con ella —le dijo él—. Y al diablo con tu hermanastro.

Phoebe esbozó una pequeña sonrisa.

—Hay momentos en los que yo también pienso así —murmuró—, pero en cierto modo también es emocionante buscar un sitio nuevo; será como empezar una nueva vida.

—No veo que tu vida actual tenga nada de malo —replicó él.

Phoebe lo miró irritada.

—Solo quiero avanzar —le espetó—. ¿Es lo que haces tú, no? Dejas cosas atrás y sigues adelante con tu vida —no pudo evitar esa pequeña pulla—. Y no parece que veas nada malo en ello.

Jackson frunció el ceño.

—En mi caso es distinto.

Sí, la diferencia estaba en la facilidad con la que él iba a marcharse después de haberle robado el corazón. Y también el de Rex, que, aunque no supiera hablar aún, ya se había encariñado con él. Y eso sí que le dolía, porque el pequeño había perdido a su madre y su padre le había fallado.

—Es distinto porque no te importa tomar la salida fácil —le espetó a las bravas.

Jackson le dio la espalda y fue hasta la ventana.

—Mira, Phoebe, siento los problemas en los que te he metido: este falso matrimonio y... todo.

Phoebe apretó los dientes irritada. No quería que se disculpase con ella.

—Me has ayudado, Jackson. Gracias a ti la señora Bee no me echó de aquí, y siempre estaré en deuda contigo por eso. Es con Linc y con Laura con quien deberías disculparte.

Jackson se volvió hacia ella.

—¿Qué quieres decir?

—Te han llamado dos veces; ¿les has devuelto la llamada?

Jackson se encogió de hombros.

—No he tenido tiempo.

Ella puso los ojos en blanco.

—¡Venga ya, Jackson! Reconócelo: lo que pasa es que estás asustado.

Él frunció el ceño, como si no entendiera de qué le estaba hablando.

—¿Asustado de qué?

—No lo sé; dímelo tú. ¿Por qué no les llamas? ¿Por qué los rehúyes?

—No estoy asustado.

Ella señaló el teléfono con la barbilla.

—Pues entonces llámalos.

Jackson tragó saliva.

—¿Para qué quieres que los llame?

—Para invitarlos a que vengan.

—¿Que vengan para qué?

Phoebe entornó los ojos.

—Para decirles adiós, por supuesto.

Jackson se quedó mirándola, y Phoebe se preguntó si no se habría pasado. Sin embargo, ya iba siendo hora de que alguien le dijese las verdades. Ya era hora de que alguien intentase derrumbar los muros que con tanto cuidado había levantado a su alrededor para protegerse. Quizá si se enfrentase a los fantasmas de su pasado podrían tener un futuro.

Jackson sorprendió a Phoebe al aceptar el desafío que le había lanzado. Habría querido saber qué le había hecho tomar esa decisión, pero finalmente había llamado a Linc y a Laura. Los gemelos habían terminado con su trabajo de verano, así que pudieron acercarse esa misma tarde antes de que Jackson se fuera a trabajar.

Fue ella quien les abrió cuando llegaron, y Linc

casi iba tambaleándose por el peso del montón de álbumes de fotos que Laura le dijo que dejara sobre la mesa del comedor.

Phoebe apartó su ordenador y algunos papeles para dejarles más espacio, y se sentaron los cuatro. Laura miró a Jackson con ojos brillantes y le dijo:

—Ven a ver esto, Jackson; hemos traído parte de estos últimos años con nosotros.

Jackson se acercó lentamente y miró los álbumes con recelo. Sin embargo, como tenían algo en lo que concentrarse, aquel encuentro entre los tres hermanos fue mucho menos tenso que los anteriores. Había docenas de fotografías de su infancia, desde que habían sido adoptados, y Laura iba pasando página tras página, hablándole a Jackson de las ocasiones en las que esas instantáneas se habían tomado.

De pronto Laura dio un gritito.

—¡Ah, no mires esta foto! —dijo intentando tapar una.

Pero Jackson apartó sus manos y Linc y él sonrieron divertidos cuando vieron que era una fotografía de segundo de primaria en la que le faltaba un diente de leche que se le había caído.

—No tienes por qué avergonzarte —le dijo—; yo me acuerdo de ti cuando aún no tenías ningún diente.

Laura sonrió de oreja a oreja, y a Phoebe se le encogió el corazón. Imaginaba cuánto debía de significar para ella el haber encontrado a alguien que recordase sus primeros años de vida.

Jackson pasó a la siguiente página del álbum y se rio al ver una fotografía de Linc y Laura con disfraces a juego de Mickey y Minnie Mouse.

—Tú siempre nos llevabas a pedir caramelos por las casas del vecindario —dijo Linc de repente, como si acabara de acordarse—. De lo que no me acuerdo es de qué nos vestíamos.

—De fantasmas —le dijo Jackson—. Me temo que mi imaginación no daba para más. Todos los años de fantasmas.

Laura lo miró emocionada.

—Siempre fuiste tú, ¿no? Quiero decir que eras tú quien nos hacía los disfraces y que no te pedía nuestra madre que nos llevases a pedir caramelos, sino que salía de ti.

Una expresión extraña, casi de dolor, cruzó las facciones de Jackson. A pesar de esa fachada de duro, pensó Phoebe, esa era la clase de persona que era en realidad, alguien amable y cariñoso, alguien que, de adolescente, se había preocupado de vestir a sus hermanos pequeños y llevárselos a pedir caramelos para que no se perdieran esa experiencia.

Jackson apartó la vista.

—Bueno, tampoco vayas a ponerme ahora de santo —dijo—. Calculando por lo bajo os debo por lo menos treinta y cinco barritas de chocolate a cada uno. Cuando os ibais a la cama rebuscaba en vuestras bolsas y me quedaba con las barritas de chocolate.

Laura se fingió muy ofendida.

—¡Con que eso hacías!, ¡utilizarnos de cebo para conseguir chocolate!

—No lo sabes tú bien —contestó él sonriendo, pero cambió de tema abruptamente, señalando en otra foto a una pareja sonriente—. ¿Y estas personas quiénes son?

Linc se aclaró la garganta.

—Son nuestros padres adoptivos.

—Ah, claro. Parecen buena gente. Buena gente.

Linc volvió a carraspear.

—Les gustaría conocerte, Jackson.

—Ya. Bueno, pero es que... —Jackson se quedó mirando las fotos de esa página como si las estuviera memorizando—. Es que no creo que tenga tiempo para eso. Como ya os he dicho, cuando acabe con mi trabajo aquí me iré al norte, casi a la frontera de Oregón.

Laura le puso una mano en el brazo.

—Pero nos darás tu dirección, ¿verdad? Podemos escribirte desde la universidad.

Jackson rehuyó la mirada de sus hermanos.

—Es que siempre estoy de aquí para allá. Dudo que esté mucho tiempo en ningún sitio como para que puedan llegarme vuestras cartas —se dio una palmada en los muslos, como para pasar a otra cosa—. Bueno, ¿os apetece un vaso de limonada?

Los gemelos lo miraron entre dolidos y aturdidos por su respuesta, pero murmuraron un «sí, gracias» y Jackson escapó a la cocina. Phoebe lo siguió con la mirada mientras se alejaba y miró a los gemelos, preguntándose qué podría decir.

Al final se excusó con ellos y fue a la cocina. Jackson había sacado la jarra de la limonada de la nevera y estaba echando cubitos de hielo en los vasos. Phoebe sacudió la cabeza mientras observaba su expresión calmada y sus metódicos movimientos.

—¿Por qué te haces esto? —le preguntó.

—¿De qué me hablas?

Phoebe apretó los dientes.

—¿Por qué te niegas la posibilidad de tener una relación con ellos?

Jackson fue a guardar la cubitera en el congelador.

—Cuando los adoptaron necesitaban dejar atrás el pasado, y ahora tienen su propia vida.

—Una vida que podría incluirte a ti.

—Estoy mejor sin ataduras —contestó él con aspereza, cerrando la puerta del congelador.

Phoebe sintió ganas de pegar un zapatazo en el suelo.

—¿Cómo puedes decir eso? Cuidaste de ellos hasta que tuvieron cuatro años, y por lo que sé hiciste un buen trabajo.

Jackson la miró y enarcó una ceja.

—Los perdí, Phoebe. No fui capaz de mantenerlos a mi lado.

—¡Pero ahora puedes recuperarlos!

Jackson tomó los cuatro vasos a la vez con sus grandes manos.

—No sé cómo —dijo, y salió de la cocina.

Phoebe lo siguió llena de frustración, sin haber podido decirle todo lo que querría decirle, y estaba tan abstraída en sus pensamientos que cuando se sentaron de nuevo no prestó atención a la conversación hasta que de repente el ambiente se tornó frío y tenso.

—¿Cómo? —musitó Laura, que se había puesto pálida.

—Me has preguntado cómo os encontré, y parece que creéis que he podido encontraros ahora que sois mayores de edad —respondió Jackson impasible—, pero hace años que di con vosotros.

A Phoebe el corazón le dio un vuelco. ¿Cómo? Ella también había dado por hecho que hacía muy poco que Jackson había podido descubrir su paradero, que los servicios sociales restringían esa información mientras los adoptados fueran menores de edad.

Linc apretó la mandíbula.

—¿Hace años? ¿Estás diciéndonos que durante todo este tiempo, si hubieras querido, habrías podido ponerte en contacto con nosotros?

Jackson se encogió de hombros, y su rostro permaneció inescrutable.

—Vuestros padres adoptivos no tenían inconveniente, pero yo pensé que era mejor que las cosas siguieran como estaban.

A Phoebe se le heló la sangre en las venas.

—Nos has abandonado —dijo Laura con voz ronca, espantada—. Durante todos estos años nos has abandonado una y otra vez.

Las lágrimas quemaban los ojos de Phoebe, pero parpadeó para contenerlas. Laura se puso a recoger los álbumes, y cuando Jackson intentó ayudarla lo ignoró y casi salió corriendo hacia la puerta, con Linc detrás. Con la mano en el pomo, se volvió hacia Jackson y repitió con voz entrecortada:

—Una y otra vez...

Cuando se hubieron ido, Phoebe, que se había levantado, se dejó caer de nuevo en la silla, confundida y decepcionada, y sintiéndose mal por los gemelos. ¿Cómo podía haberlos ignorado Jackson todos esos años? No tenía sentido, sobre todo para alguien como ella que valoraba la familia y que se había sentido sola durante tanto tiempo. ¿Por qué insistía Jackson en aislarse?

Sabía por qué. Sabía que, como había dicho, había pensado que era lo mejor para sus hermanos, pero... ¿por qué ahora que eran mayores seguía queriendo mantenerse alejado de ellos?

Tragó saliva y alzó la vista hacia Jackson, que se había quedado mirando al vacío con la mirada perdida. Sin embargo, debió de darse cuenta de que lo estaba observando, porque bajó la vista hacia ella con una expresión vacía y cansada.

—Ya te dije que esto de la familia no se me daba nada bien —gruñó, y se dirigió al dormitorio con pesados pasos, como si le doliese todo el cuerpo—. Gracias a Dios mi trabajo aquí casi ha terminado; no quiero hacerle daño a nadie más.

Phoebe se estremeció al oír cómo se le quebraba la voz, pero la puerta del dormitorio ya se había cerrado tras él.

Fue a la cocina a por un vaso de agua para tomarse una aspirina, porque estaba empezando a dolerle la cabeza, cuando llamaron a la puerta. Era el cartero, que le traía un sobre certificado. Phoebe le firmó el resguardo y el hombre se despidió y bajó las escaleras silbando. Al menos alguien estaba de buen humor, pensó ella.

Cerró la puerta y le dio la vuelta al sobre para ver quién le escribía, pero no habían escrito remite. Rasgó el sobre, y frunció el ceño al sacar un montón de papeles grapados con el membrete de un bufete de abogados.

Comenzó a leer la primera página, y el corazón empezó a latirle como loco. Apretando los papeles con fuerza, fue hasta el sofá y se sentó. Aquello tenía que se un sueño... No, no lo era.

—Lo ha hecho... —murmuró—. Lo ha hecho...

¡Teddy había ido a un abogado en San Francisco

y había hecho los trámites para cederle la plena custodia de Rex!

De pronto le desapareció el dolor de cabeza, y fue a sacar a Rex de su cuna, que estaba dormido. Miró su carita perfecta y murmuró:

—Ya nadie te separará de mí...

Rex se despertó en ese momento y la miró y parpadeó soñoliento. Phoebe, que no cabía en sí de gozo, bailó un vals con él por el pequeño salón.

—Ahora somos una familia —le dijo, volviendo a sentarse en el sofá.

Rex volvió a parpadear, estudiándola muy serio, y de repente su expresión cambió, le dedicó la sonrisa más adorable del mundo... ¡y se rio! Era la primera vez que lo oía reírse, y Phoebe sonrió y lo besó con ternura.

Se levantó. Tenía que contarle a Jackson que... No, pensó deteniéndose. Quizá no fuera buen momento, después de lo que había pasado con Linc y Laura.

—¿Sabes qué vamos a hacer? —le dijo al bebé—. Para celebrarlo vamos a salir a dar un paseo. Y a lo mejor hasta me compro un helado.

Cuando regresaron, Jackson ya se había ido a trabajar. Con un suspiro, Phoebe guardó en el congelador la tarrina de helado que le había comprado, y mientras se afanaba en las tareas del hogar se sintió triste al pensar que su día a día volvería a ser así cuando Jackson se marchase. Volvería a estar sola, y se le haría raro que no estuviera.

Ya fuera por ese pensamiento, o por la emoción

de la carta que había recibido, esa noche apenas pudo dormir, y acabó por levantarse de madrugada, cuando aún no había amanecido. Se puso la bata y fue a la cocina a hacer un poco de café.

Cuando oyó la llave en la cerradura de la puerta de entrada dio un respingo. No esperaba a Jackson tan pronto.

—¡Qué temprano llegas! —comentó al verlo.

—Sí, es que ya estamos acabando con el trabajo y podemos relajarnos un poco —contestó él cerrando la puerta y entrando en la cocina.

Phoebe tragó saliva y apretó el botón de la cafetera.

—Estoy haciendo café —dijo, como si no fuera evidente, y cuando se volvió se encontró cara a cara con Jackson.

Ordenó a sus pies que se movieran, a sus ojos que se apartaran de él, pero no la obedecieron, igual que su corazón, que parecía querer salírsele del pecho. Los ojos de Jackson eran inescrutables, como siempre, pero seguía queriendo comprenderlo, quería que siguiese formando parte de su vida.

—Ayer me llegaron los papales —balbució de sopetón—. Teddy me ha cedido la custodia de Rex.

Los ojos de Jackson se tornaron cálidos, y la expresión de su rostro pasó de sombría a feliz en un instante antes de que diera un paso y le tendiera los brazos.

Phoebe vaciló. No se habían tocado desde la noche en que habían hecho el amor. Y él pareció recordarlo también, porque dejó caer los brazos y dio un paso atrás, pero una sonrisa afloró a sus labios y le dijo:

—Dios, Phoebe, no sabes cuánto me alegro por ti. Y por Rex —añadió—. Es un chico con suerte por tenerte como madre.

Phoebe parpadeó al oír esas palabras. Sí, era la madre de Rex; oficialmente ahora era la madre de Rex... Incapaz de contener la emoción, se le escapó un sollozo, y se tapó la boca.

Jackson le sonrió con ternura.

—No te preocupes —le dijo remetiendo un mechón tras su oreja—. Serás una madre estupenda.

A Phoebe se le escapó otro sollozo, y se le llenaron los ojos de lágrimas.

—Jackson... —murmuró.

Y él debió de saber lo que necesitaba, porque la rodeó con sus brazos y la apretó contra sí.

Phoebe intentó no llorar, pero el consuelo que encontró en el abrazo de Jackson le permitió liberar toda la preocupación y la tensión que se había estado acumulando en su interior desde que Teddy dejara a Rex con ella. Y lloraba porque Jackson, el hombre que estaba a punto de salir de su vida, había comprendido lo emocionante y aterradora que era para ella la idea de ser madre, y cuánto necesitaba que alguien le dijera que lo iba a hacer bien.

Cuando las lágrimas cesaron, se quedó donde estaba, con la mejilla apoyada en la camisa de él, pero Jackson se echó un poco hacia atrás y la tomó de la barbilla para verle la cara.

Ella alcanzó una servilleta del papel del servilletero para secarse las lágrimas.

—Perdona, soy una llorica —le dijo sonriendo vergonzosa.

—Pues sí —respondió él, y sonrió cuando ella

frunció el ceño al oírle decir eso—, pero es normal cuando te han dado una gran noticia. A mí mismo me cuesta creerlo. Sobre todo porque siempre he pensado que los finales felices ocurren muy pocas veces en la vida —murmuró, y dio un paso atrás, apartándose de ella.

Phoebe tragó saliva. Estaba muy contenta, pero sentía que sin él aquella felicidad no sería completa, y había cosas que necesitaba entender.

—Jackson, yo... —comenzó a decirle—. Ahora Rex es mío, pero no puedo evitar preguntarme... Querría saber si...

Jackson retrocedió un paso más.

—¿Cómo puedes alegrarte por Rex y por mí —le preguntó Phoebe— y al mismo tiempo haber dejado que pasaran años sin ponerte en contacto con tus hermanos cuando podrías haberlo hecho?

Él no vaciló en su respuesta, ni rehuyó su mirada.

—¿Qué podía ofrecerles? —le espetó.

A Phoebe se le encogió el corazón al oírle decir eso. ¿Que qué podía ofrecerles? Nuevas lágrimas acudieron a sus ojos, pero parpadeó para contenerlas.

—Tu cariño habría sido suficiente —le dijo.

Las facciones de Jackson se tornaron frías e inescrutables de nuevo. A pesar de todo lo que habían compartido en esas semanas, nada había cambiado; Jackson no había cambiado.

Capítulo 13

JACKSON se quedó mirando su bolsa de lona, sobre la cama de Phoebe, y la torre de ropa limpia y doblada junto a ella. Estaba preparándose para marcharse. Esa noche, cuando se fuese a trabajar se despediría para siempre de Phoebe y de Rex. No se lo esperaba en su próximo destino hasta dentro de varios días, pero no tenía sentido prolongar su estancia en Strawberry Bay y posponer la despedida.

Ahora que la cuestión de la custodia de Rex estaba solucionada, lo mejor era que él saliera de sus vidas. Se alegraba de que Phoebe se hubiese ido al parque con Rex, porque se sentía mal desde que había visto la decepción en sus ojos por lo de Linc y Laura, y no quería volver a hablar de eso.

Apretó los puños, lleno de frustración. Había sido honrado; había hecho lo correcto, se dijo mientras seguía metiendo ropa en la bolsa de lona. En ese momento sus dedos rozaron algo, y su mano se detuvo. Eran las cartas que le había escrito a sus hermanos cada año, por su cumpleaños, desde que los habían separado de él.

Era estúpido y sentimental por su parte guardar esas cartas. Debería tirarlas, pensó. No servían para nada, ni servirían nunca para nada. Salió del dormitorio en dirección a la cocina, pensando en meterlas al fondo del cubo de la basura, bajo los posos del café y los restos de comida, y en que cuando hubiese acabado de guardar sus cosas se llevaría la bolsa al contenedor que había en la calle.

Sin embargo, se detuvo junto a la mesa del comedor, donde Phoebe tenía todo tipo de material de oficina junto a su ordenador portátil. Podría enviar las cartas a Linc y a Laura, pensó mirando unos sobres grandes y una lámina de sellos.

Si las enviara quizá le resultaría un poco más fácil abandonar Strawberry Bay. Quizá aquellas cartas sí pudieran tener un propósito después de todo, un buen propósito. Linc y Laura debían saber que en aquellos catorce años no los había olvidado.

Tomó un sobre, metió todas las cartas en él, escribió la dirección y le pegó los sellos suficientes para que llegara a su destino. Lo mejor sería enviarlo cuanto antes, se dijo saliendo del apartamento con el sobre; había un buzón justo al final de la calle.

Cuando llegó a él vaciló un momento, pero antes de poder echarse atrás echó el sobre por la rendija y se dio la vuelta.

—¿No vas a asegurarte de que no se haya quedado atascado?

Jackson se quedó paralizado al oír la voz de Phoebe.

—Nunca te habría tenido por un optimista, Jackson —añadió.

Él se volvió, y desearía no haberlo hecho, porque la belleza de Phoebe lo dejó, una vez más, sin aliento, y no sabía cómo iba a reunir el valor suficiente para decirle que se marchaba.

—¿Ocurre algo? —inquirió ella preocupada al verlo tan serio, y empujando el carrito de Rex hacia él para colocarse a su lado.

Él levantó una mano para acariciarle el rostro y le costó la misma vida contenerse y dejarla caer. ¿Se daba cuenta Phoebe de lo difícil que era aquello para él? ¿Se daba cuenta de lo mucho que deseaba tocarla, y de lo duro que resultaba para él mantener las distancias?

—Tengo que decirte algo: me marcho esta noche.

Phoebe dio un respingo, como si la hubiese golpeado, y lo miró con tristeza.

—Iba a casa para acostar a Rex; es la hora de su siesta —murmuró.

Jackson bajó la vista al bebé, que ya estaba dormido, y alzó la vista hacia ella. Había cosas que quería decirle, pero aún estaba intentando pensar cómo decírselas cuando ella echó a andar de nuevo, sin previo aviso, y tuvo que apretar el paso para alcanzarla.

Una vez llegaron al apartamento, Phoebe acostó al bebé en la cuna y Jackson le echó una mantita por encima.

—Tengo que hablar contigo —le dijo él, y la tomó de la mano y la condujo al dormitorio.

Cuando cerró la puerta, se produjo una ligera corriente que hizo caer un mechón sobre el rostro de Phoebe. Jackson lo apartó de su rostro, y ella se estremeció cuando sus nudillos le rozaron la mejilla.

—Quiero que sepas... —Jackson tuvo que tragar saliva y empezar de nuevo—. Quiero que sepas... Debería habértelo dicho antes... lo honrado que me siento de haber sido el primero en hacerte el amor.

Las mejillas de Phoebe se tiñeron de rubor, y Jackson no pudo sino sonreír.

—Desde ese día no me he atrevido a volver a tocarte; tenía miedo.

—¿De qué? —inquirió ella en un tono quedo.

—De que no haría sino empeorar las cosas cuando me fuese.

Phoebe bajó la vista y Jackson tragó saliva de nuevo.

—Claro que... yo no sé tú, pero yo ya me siento bastante mal tal y como están las cosas.

Phoebe alzó la vista de nuevo.

—¿Entonces...?

—Shh... —Jackson le impuso silencio colocando las yemas de los dedos sobre sus labios—. Quizá desee que todo fuese distinto, pero por mi trabajo tengo que viajar, y tu tienes tu vida y tienes a Rex. Y tienes que encontrar a ese hombre perfecto al que estás esperando, ¿recuerdas? —la picó con una sonrisa aunque la sola idea lo desgarraba por dentro—. Aunque...

—¿Qué? —inquirió ella cuando se quedó callado.

Jackson vaciló.

—No tengo derecho a pedirte eso.

Una sonrisa asomó a las comisuras de los labios de ella.

—¡Pues entonces te lo pediré yo, por amor de Dios! Hazme el amor, Jackson. Una vez más. Una última vez.

Apenas había acabado de hablar cuando él la atrajo hacia sí, inmensamente agradecido de que se lo hubiese pedido, y de volver a tenerla entre sus brazos, pero se propuso ser delicado con ella en todo momento. Iba a hacerle el amor con dulzura.

—Jackson... —murmuró ella, alzando la cabeza en busca de sus labios.

En cuanto se besaron, sus buenas intenciones se desvanecieron, y empezaron a arrancarse la ropa, pero cuando se la hubieron quitado y la tuvo desnuda frente a sí, fue capaz de tenderla con cuidado en la cama para luego unirse a ella y deslizar sus manos sin prisa por su suave piel.

La besó en el cuello, en la sien, le acarició los senos, pellizcó los pezones... Phoebe gimió, y se estremeció cuando él le separó los muslos e inclinó la cabeza hacia su sexo.

—Jackson... —jadeó ella, arqueándose cuando pasó la lengua por entre sus pliegues.

Él le sostuvo las caderas, manteniéndola donde la quería, y siguió atormentándola. Se notaba cada vez más excitado, pero se entregó a la tarea de complacerla hasta hacerla estremecer, explorando su cuerpo de maneras con las que había fantaseado desde la primera vez que habían hecho el amor.

Phoebe volvió a arquearse cuando deslizó un dedo y luego dos dentro de ella y gimió una vez más, pero Jackson no se detuvo hasta llevarla al orgasmo.

Cuando hubo dejado de temblar, la penetró con delicadeza, encontrando el camino húmedo y listo para él, y Phoebe volvió a arquearse, tomándolo más dentro de sí. Jackson apretó los dientes para contenerse, y comenzó a mover las caderas rítmicamente, sin descanso, hasta que alcanzaron juntos el éxtasis, jadeando el nombre del otro.

Momentos después yacían abrazados, y la palma de la mano de Phoebe descansaba sobre su corazón.

—Cuando te conocí —le dijo soñolienta—, no podía imaginar que cambiarías mi vida.

Jackson cerró los ojos y frotó la barbilla contra la cabeza de ella. «Y yo no podía imaginar que harías que la mía, aunque solo fuera por unas semanas, mereciese la pena», respondió para sus adentros.

Phoebe se despertó sobresaltada, y el corazón siguió latiéndole con fuerza aun cuando comprobó que Jackson seguía en la cama con ella, rodeándola con sus brazos. Todavía no se había ido, pero la dejaría muy pronto.

—¿Estás bien? —le preguntó.

Phoebe tragó saliva.

—Sí. ¿He... he dormido mucho?

No se atrevía a mirar el reloj de la mesilla; no quería saber cuánto tiempo faltaba para que Jackson se marchara.

Él le acarició el cabello con la mano, como para tranquilizarla.

—No mucho.

Ella cerró los ojos aliviada y aspiró el aroma de su piel. No podía creerse que no volvería a vivir un momento así con él. Jackson le acarició nuevamente el cabello.

—Phoebe...

—Shh... No hables —le pidió ella. No quería hablar. No quería que le diera explicaciones.

Jackson deslizó la mano por su espalda y se bajó de la cama.

—Voy a por un vaso de limonada. ¿Quieres que te traiga algo?

Ella sacudió la cabeza. Jackson se vistió, salió del dormitorio, y oyó abrirse y cerrarse la puerta de la nevera. Cuando regresó, no volvió a la cama, sino que se dirigió a la ventana y se quedó allí de pie, de espaldas a ella. Se pasó una mano por el cabello y resopló.

—Phoebe, yo... Quería...

—¿Ocurre algo? —inquirió ella en un tono quedo.

Quizá él no quería irse, igual que ella no quería que él se marchase. Quizá podría hacerle cambiar de opinión. Quizá...

—¿Has visto a ese gato que merodea por aquí? —preguntó él de pronto—. Se comporta de un modo raro, como si estuviera asustado...

Phoebe se incorporó, apoyándose en la almohada, y se tapó con la sábana.

—¿Quieres que hablemos de un gato? —inquirió perpleja.

Él sacudió la cabeza y se volvió hacia ella.

—No. Tengo que pedirte un favor.

Un rescoldo de esperanza se avivó en el pecho de Phoebe.

—Lo que quieras.

Para sus adentros rogó por que fuera a pedirle que le dejara quedarse, o que quisiera que se mantuvieran en contacto; así al menos habría una posibilidad de que volvieran a reunirse.

Jackson se aclaró la garganta.

—Si te doy una dirección en la que contactar conmigo...

El corazón de Phoebe palpitó con fuerza.

—... ¿podrías dársela a mis hermanos? Si te la pidieran, quiero decir.

Aunque a Phoebe se le cayó el alma a los pies, no perdió la esperanza. Quizá había un motivo por el que quería que fuera ella quien les diera la dirección.

—Pero tú sabes dónde viven; podrías mandarles tú mismo esas señas —apuntó, con la esperanza de que le dijera lo que quería oír.

Jackson sacudió la cabeza.

—No es eso lo que quiero; solo quiero que les des esa dirección si te la piden.

De pronto todo aquello estaba irritando a Phoebe de tal modo que le entraron ganas de chillar de frustración. Se cruzó de brazos y le dijo:

—No te entiendo.

Jackson parpadeó.

—¿Cómo?

—¿Por qué insistes en castigarte de esta manera? —le espetó ella—. Hiciste todo lo que pudiste por tus hermanos, por amor de Dios. ¡Solo tenías dieciséis años!

Jackson frunció el ceño.

—Pues no fue suficiente.

—¿Cómo puedes decir eso? Les diste cariño y estabilidad todo el tiempo que pudiste. Y cuando los alejaron de ti tuvieron la suerte de ser adoptados por unas personas maravillosas con las que pudieron iniciar una nueva vida. ¿De qué te arrepientes? ¡Son felices!

Jackson se metió las manos en los bolsillos. Su expresión se había tornado fría y obstinada.

—¿Sí?, pues ahora están enfadados conmigo —apuntó.

Phoebe puso los ojos en blanco.

—Porque querrían que tú hubieses seguido siendo parte de sus vidas y les duele que no quisieras retomar el contacto con ellos. No porque crean que hiciste nada mal. Y es evidente que quieren a sus padres adoptivos y que están agradecidos de las oportunidades que están teniendo gracias a ellos.

—O sea que estás de acuerdo en que están mejor sin mí.

Phoebe apretó los dientes.

—¿Por qué te empeñas en ponerte como el malo de la película? ¡Por amor de Dios, si tú mismo eras un chiquillo cuando cargaste con la responsabilidad de un adulto al ocuparte de tus hermanos.

Quizá sus palabras estuviesen empezando a hacer mella en él, porque de repente Jackson se alejó de la ventana, y a Phoebe no le extrañó ver que iba a por su bolsa de lona. Pues no iba a dejar que se fuera sin acabar de decirle lo que pensaba, se dijo mientras él recogía un par de cosas del suelo y las metía en la bolsa.

—Pero eso fue entonces, Jackson. Han pasado catorce años. No sé qué has hecho en todo ese tiempo con tu vida, pero sí puedo decirte que desde el día en que te conocí para mí has sido un héroe.

Jackson no la miró, sino que se dirigió al baño, pero Phoebe alzó la voz para que la oyera aunque no quisiera.

—Cuando necesitaba un buen vecino lo fuiste, y luego, cuando supiste cuál era nuestra situación, fuiste lo bastante generoso como para alterar tu vida para ayudarnos.

Él volvió al dormitorio con su neceser en la mano. Phoebe se bajó de la cama y se puso su bata.

—Y a pesar de los espantosos hábitos alimentarios que tienes, no has sido mal compañero de piso —añadió con una media sonrisa.

A Jackson le estaba costando meter el neceser en la bolsa de lona, y Phoebe vio que las manos le temblaban.

—Y te quedaste a nuestro lado aun cuando las cosas se complicaron —añadió en un tono más amable.

Jackson se quedó quieto y alzó la vista hacia ella con expresión desolada.

—¿Cómo puedes decir eso cuando estoy a punto de marcharme?

—Te vas porque estamos bien. Si aún te necesitáramos, si hubiera algo más que pudieras hacer por nosotros, estoy segura de que no te marcharías.

Jackson no intentó negarlo, pero bajó de nuevo la vista a la bolsa y consiguió meter en ella el neceser y cerrar la cremallera.

Phoebe se sintió derrotada cuando levantó la bolsa del suelo con una mano y se volvió hacia ella y la recorrió con la mirada. No sabía si estaba grabando su imagen en su mente, o dando gracias al Cielo porque por fin iba a marcharse de allí.

—¿Hay algo más que quieras decir? —le preguntó con voz queda.

Phoebe tragó saliva.

—Solo una cosa.

Su expresión debió de delatar sus intenciones, porque vio dolor en los ojos de él y dio un paso atrás.

—Phoebe, no lo digas.

Pero ella pensó en la infancia que había tenido Jackson, en la solitaria vida que llevaba, en todas las veces que nadie le había dicho esas palabras.

—Lo siento, pero tengo que decirlo —contestó sacudiendo la cabeza. Inspiró profundamente y añadió—: Te quiero.

Jackson cerró los ojos y aspiró por la boca, como si lo hubiese apuñalado.

Phoebe no se sorprendió cuando volvió a abrir los ojos y pasó por su lado sin mirarla al salir del dormitorio. Tampoco cuando se detuvo un instante junto a la cuna y se quedó mirando a Rex, sin acariciarle la mejilla siquiera.

Ni cuando, después de que hubiera tomado su portafolios, se dirigiera hacia la salida sin volverse hacia ella. Con el corazón hecho añicos, lo observó quedarse de pie frente a la puerta, con la mano en el pomo, como vacilante, pero luego su espalda se tensó e irguió los hombros.

—Adiós, Phoebe —murmuró.

Ella corrió y lo sujetó por el brazo cuando ya estaba abriendo la puerta y saliendo al pasillo.

—¿Por qué haces esto? —lo increpó entre lágrimas—. ¿Qué ganas con alejarte de nosotros, y de Linc y de Laura?

Por supuesto no obtuvo más respuesta que el eco de sus pisadas mientras bajaba las escaleras, sin mirar atrás.

La última noche de trabajo de Jackson en Strawberry Bay fue un infierno, y estaba seguro de que sus hombres debieron de colgarle el sambenito de «diablo jefe». Cuando salió el sol y les dijo que podían irse, tenía un dolor de cabeza como una casa.

Fue a la caravana de la compañía a recoger lo que necesitaría para su siguiente destino, y a empaquetar el resto para enviarlo a la sede principal en Los Ángeles.

A pesar del aire acondicionado, allí dentro también hacía un calor del demonio. Intentó no pensar en la jarra de limonada que Phoebe siempre tenía en la nevera. De hecho, durante toda la noche había estado intentando no pensar en ella en absoluto, pero su recuerdo lo asaltaba una y otra vez. Phoebe con esos vestidos de flores tan ridículamente adorables, sonriéndole... y desnuda en la cama debajo de él, abrasándolo con su pasión y su inocencia.

Y Phoebe furiosa con él, con chispas en sus ojos, increpándolo por empeñarse en distanciarse de ella y de sus hermanos y en ponerse como el malo de la película.

Se equivocaba; lo que pasaba era que sabía cuándo había llegado el momento de marcharse. Eso era todo. Como el dolor de cabeza era cada vez peor decidió que sería mejor no esperar más para tomar algo que lo aliviase. Estaba seguro de que tenía una caja de aspirinas en su bolsa.

Salió de la caravana, guiñando los ojos por los hirientes rayos del sol del amanecer, y se dirigió a su camioneta, aparcada a la sombra del paso elevado que acababan de terminar de reforzar.

Saludó a su ayudante, Mack Walters, que parecía que estaba oyendo la radio mientras se tomaba unos minutos para disfrutar del café que le quedaba en el termo antes de marcharse.

Cuando llegó a su camioneta alargó el brazo para agarrar la manecilla de la puerta... y falló. Jackson frunció el ceño contrariado. O el dolor de cabeza lo estaba haciendo sentirse mareado y alterando sus sentidos o...

El suelo estaba moviéndose bajo sus pies; sacudiéndose con violencia. Esa vez consiguió agarrarse a la manilla de la puerta, y se aferró a ella para no perder el equilibrio. De la caravana salía un ruido metálico, como si la estuviera sacudiendo un gigante. La voz del locutor de la emisora que estaba oyendo Mack pasó de alegre a entrecortada, y de repente se calló y gritó: «¡Un terremoto!».

Y uno de los grandes, lo corrigió Jackson apretando la mandíbula.

Capítulo 14

CUANDO la tierra cesó de temblar, y tras dejar a Mack a cargo de revisar si el paso había sufrido algún daño, Jackson se apresuró a regresar a Strawberry Bay.

Cambió de emisora de nuevo, pero la información que daban sobre el terremoto y sus efectos era escasa y frustrante. Y de todos modos, hasta que no se asegurara por sí mismo de que Phoebe y Rex estaban bien, le daba igual lo que dijeran.

«Si aún te necesitáramos, si hubiera algo más que pudieras hacer por nosotros, estoy segura de que no te marcharías»... Cuando Phoebe había dicho esas palabras, no se había molestado en contradecirla porque era la verdad.

Tras dejar atrás los campos de cultivo se acercó a las afueras de la pequeña ciudad. En la distancia se oían sirenas y el corazón le dio un vuelco, pero tuvo que reducir la velocidad, aunque lo que quería hacer era pisar el acelerador para llegar cuanto antes junto a Rex y a Phoebe.

Y para colmo se topó con varios semáforos estropeados en la zona que estaba cruzando en dirección al área residencial. Cuando ya estaba a un kilómetro y medio escaso, se encontró con que un par de coches de policía habían cortado la calle por la que tenía que girar.

Intentó razonar con los agentes y trató de sacarles información sobre el área afectada, pero ignoraron sus preguntas y le ordenaron que diera la vuelta. Jackson apretó los dientes y obedeció, pensando en otra ruta para llegar.

En las aceras había grupos de gente, probablemente hablando de lo ocurrido, pero en aquella zona no veía demasiados daños. Sin embargo, eso no lo tranquilizó. Los terremotos eran un fenómeno caprichoso e impredecible, y los posibles daños dependían en gran medida de si se había construido sobre un lecho de roca o rellenado con tierra, y de si los edificios eran antiguos o nuevos.

Por la ruta sur que había tomado también se encontró con coches de la policía bloqueando el acceso, pero en esa ocasión consiguió un poco más de información de la policía, y cuando le dijeron cuál era la zona más afectada un escalofrío le recorrió la espalda. Sin embargo, no se dio por vencido y probó con otra ruta que le indicó el agente.

Esa vez, cuando llegó y vio más coches de policía, detuvo su camioneta junto a la acera y se bajó. Con el corazón martilleándole en el pecho y lleno de temor, corrió hacia los agentes que estaban acordonando la zona. No querían dejarle pasar. Forcejeó con dos de ellos con la mirada fija en la casa de tres pisos y empezó a gritar el nombre Phoebe. Había un camión de bomberos aparcado frente a ella, y toda una esquina de la vivienda, donde había estado el apartamento de Phoebe, se había derrumbado.

Cuando le advirtieron de que lo esposarían si seguía dando problemas, Jackson dejó de forcejear con aquellos agentes de policía y durante casi una hora estuvo sentado en la acera, completamente aterrado y lleno de frustración por no poder hacer nada.

Mientras rezaba en silencio por que hubiera un milagro, alguien le puso un vaso de café en la mano. Ni siquiera se molestó en volverse para verle la cara. Había varios trabajadores de la Cruz Roja yendo de aquí para allá, atendiendo a la gente, dándoles mantas y bebidas calientes.

—Gracias —murmuró.

Una mano se posó sobre su hombro.

—Jackson —dijo una voz familiar—, gracias a Dios que estás bien.

Giró la cabeza y vio que era Linc, y que Laura estaba a unos pasos, junto a una pareja cuyos rostros reconoció vagamente por las fotografías que le habían enseñado: sus padres adoptivos.

—¿Qué estáis haciendo aquí? —le preguntó.

Laura se acercó también, con expresión preocupada.

—Teníamos que asegurarnos de que estabas bien. En las noticias dijeron dónde habían sido más graves los daños y tratamos de llamar...

Jackson no les había llegado a dar su número de móvil. Habían estado llamando al apartamento de Phoebe, que ahora no era más que un montón de escombros.

Abrió la boca para intentar decir algo, lo que fuera, pero no consiguió articular palabra. No podía dejar de pensar en lo peor.

Laura se sentó a su lado y le puso una mano en la rodilla.

—Bebe un poco de café. Está caliente y te sentará bien. Anda.

Jackson tomó un sorbo y tragó con dificultad.

—Gracias —dijo mirando a sus hermanos—. Gracias a los dos por venir.

Para su espanto, los ojos de Laura se llenaron de lágrimas.

—¿Qué ocurre? —le preguntó.

Ella rompió en sollozos y sacudió la cabeza.

—Está llorando porque por eso es por lo que hemos venido —le explicó Linc—. Para darte las gracias. Nos temíamos que fuera demasiado tarde.

Laura logró recobrar la compostura y le dijo:

—No deberíamos habernos ido la otra noche como nos fuimos. No pensamos en lo que aquello debió de suponer para ti. Solo tenías dieciséis años cuando nos separaron de ti. Eras más joven que nosotros —concluyó, y sus ojos se llenaron de lágrimas de nuevo.

Linc se sentó al otro lado de él.

—Lo que Laura intenta decirte es que ahora entendemos por qué has hecho lo que has hecho. Hemos hablado con nuestros padres adoptivos, y nos han dicho que nos pusiéramos en tu lugar. Y entonces nos dimos cuenta de que nos habíamos comportado como unos egoístas y que tú solo habías hecho lo que creíste que era mejor para nosotros.

Laura lo rodeó con sus brazos.

—Fueran cuáles fueran tus razones, te queremos.

El vaso de cartón se resbaló entre los dedos de Jackson, que observó aturdido cómo el café se escurría por la alcantarilla antes de mirar a Laura y a Linc, y de pronto sintió como si desapareciera un gran peso que llevaba en su interior.

—Dios mío... —murmuró con voz ronca, rodeando con sus brazos a sus hermanos y apretándolos contra sí por primera vez en catorce años—. Yo también os quiero.

Se alegró de no haber tirado aquellas cartas, porque cuando las recibieran tendrían una prueba de que siempre los había querido y se había preocupado por ellos.

Se le habían humedecido los ojos, pero ocultó las lágrimas apoyando la frente en el cabello de su hermana.

—Nunca he dejado de quereros.

Cuando se enteraron de que Phoebe y Rex estaban desaparecidos, Linc y Laura se negaron a dejarlo solo, y sus padres adoptivos, Elaine y David Glen se unieron a ellos.

Sin embargo, Jackson ya no podía permanecer sentado por más tiempo. Empezó a andar arriba y abajo, y se acercó tantas veces a preguntar a los policías si sabían algo, que estos tuvieron que pedirle a sus hermanos que hiciesen algo con él.

Linc y Laura estaban intentando convencerlo para que probara al menos un bocado de los sándwiches que su padre adoptivo había comprado, cuando vio movimiento unos bloques más allá en la calle cortada.

Se quedó muy quieto, con la mirada fija en la figura que se acercaba a lo lejos. Iba cojeando... ¡no!, era el carrito que empujaba, que se escoraba hacia un lado.

Intentó moverse, pero era como si estuviera paralizado por el miedo y la esperanza que su corazón apenas se atrevía a abrigar.

Linc siguió su mirada y una sonrisa iluminó su rostro.

—¡Mirad! —exclamó señalando—. ¡Allí están! ¡Son Phoebe y Rex!

Laura dio un gritito de emoción y agitó los dos brazos en el aire.

—¡Phoebe! ¡Estamos aquí!

Phoebe corrió hacia ellos, esforzándose por mantener derecho el carrito. Cuando ya estaba más cerca, Jackson vio que su vestido y sus zapatillas estaban manchados de tizne, y el corazón le dio un vuelco de preocupación.

Linc y Laura se adelantaron y ayudaron a Phoebe a pasar la zona acordonada. Laura lloraba y Phoebe reía. Linc levantó a Rex del carrito y se lo mostró a Jackson para que viera que estaba bien.

Jackson quería avanzar hacia ellos, pero era como si sus botas estuviesen pegadas al asfalto. Fue ella quien fue hasta él, y se detuvo a un par de pasos.

—No te imaginas el miedo que he pasado —le dijo Jackson.

—Eso he oído. Al menos quince miembros del equipo de emergencias me ha parado para decirme que por aquí había un lunático desesperado buscando a una mujer de pelo largo con un bebé —bromeó ella con una pequeña sonrisa.

Jackson alzó una mano para acariciarle la mejilla y vio que tenía un rasguño.

—Estás herida.

Phoebe volvió a sonreír.

—Lo creas o no, eso pasó antes del terremoto. Uno de los dos va a tener que cortarle las uñas a Rex.

Jackson ignoró eso de «uno de los dos» y tragó saliva.

—Estás bien, ¿verdad?

Ella se puso seria.

—Todavía no.

Jackson se quedó mirándola contrariado, hasta que su hermana le dijo:

—¡Hay que decírtelo todo, Jackson! ¡Dale lo que necesita!

Y como él lo necesitaba también, por fin atrajo a Phoebe hacia sí y la estrechó entre sus brazos. Los ojos se le llenaron de lágrimas y, sin poder ya contenerlas, por segunda vez en su vida lloró.

Como su apartamento había quedado destrozado por el terremoto, los padres adoptivos de Laura y Linc le habían ofrecido a Phoebe que Rex y ella se quedaran con ellos hasta que encontrasen otro sitio donde vivir.

Su ciudad, a cuarenta y cinco minutos de Strawberry Bay, no había sufrido daño alguno. Ella, ataviada con un camisón que le había prestado Elaine, iba a compartir habitación con Laura, y Jackson, al menos por esa noche, con Linc. Habían pedido prestada una cuna a unos vecinos que habían colocado en el salón, y también un vigila-bebés para que Phoebe pudiera escuchar a Rex en todo momento y estar tranquila.

En ese momento se abrió la puerta del dormitorio y entró Laura, que llevaba un plato cargado de galletas con trozos de chocolate.

—Por suerte he sido la primera en llegar al bote de las galletas —le dijo—. Linc siempre se las come todas y no me deja ni una. ¡Y dice que lo hace por mi bien, para que no tenga que hacer dieta! —exclamó poniendo los ojos en blanco—. ¡Hombres!

Phoebe, que estaba sentada en la cama, sonrió y tomó una de las galletas que le ofrecía.

—Sí, son una verdadera cruz.

Laura la miró vacilante y le preguntó:

—¿Estás enfadada con Jackson?

Phoebe se quedó pensativa antes de contestar.

—Bueno, no exactamente —le dio un mordisco a la galleta—. Más bien me tiene hecha un lío; no sé qué pensar de su actitud hacia mí.

—Pero viste lo preocupado que estaba, ¿no? —apuntó Laura.

Sí, lo había visto. Tampoco le habían pasado desapercibidas otras cosas, como el modo en que la había abrazado, las lágrimas que se había secado a escondidas, o el hecho de que había querido saber con pelos y señales lo que le había ocurrido, desde su afortunada decisión de salir temprano con Rex a dar un paseo, hasta su búsqueda de los otros inquilinos, que estaban todos bien, o heridos de poca gravedad.

Todo eso le decía que se preocupaba por ella, y en esos primeros momentos su corazón había abrigado esperanzas, pero desde entonces... nada. En ningún momento había tomado su mano, ni la había mirado a los ojos, ni le había sonreído. Ni durante la cena, ni durante las dos horas que habían pasado reunidos en torno al televisor escuchando las noticias sobre el terremoto, ni cuando se habían dado las buenas noches.

Laura y ella estuvieron charlando un rato de cosas intrascendentes, y luego cada una se metió en su cama y apagaron la luz. Laura se durmió pronto, pero Phoebe no conseguía conciliar el sueño, y al cabo de un rato decidió levantarse e ir a ver a Rex. Se sentía sola y triste, y el pequeño aligeraría un poco el pesar de su corazón.

Sin embargo, cuando llegó al salón, vio que alguien se le había adelantado. Jackson estaba sentado en una silla en la penumbra, cerca de la cuna, con los codos apoyados en las rodillas y la cabeza entre ambas manos. Alzó la vista cuando ella entró, y se quedaron mirándose un momento.

Phoebe se humedeció los labios.

—Siempre estás en la oscuridad —comentó.

Jackson entrelazó las manos y apoyó la barbilla sobre ellas.

—Llevo mucho tiempo intentando esconderme.

—¿De qué? —inquirió ella acercándose.

—He estado pensando en eso. Supongo... creo que he estado huyendo de volver a sentir cariño por alguien.

—¿Como quieres a tus hermanos, quieres decir?

Él asintió.

—Quizá algún día pueda explicarte lo que supuso para mí perderlos. Me construí un frío caparazón para protegerme del dolor que sentía.

Algún día, había dicho, como si fueran a volver a verse en el futuro. Phoebe tragó saliva.

—Creo que en cierto modo lo comprendo, porque yo he pasado por algo parecido con Rex.

—Es verdad —Jackson se irguió y se pasó una mano por el cabello—. ¿Sabes?, he decidido que sí quiero volver a ser parte de la vida de mis hermanos.

Phoebe sonrió.

—Eso me ha dicho Laura. Está feliz de haber recuperado a su hermano mayor.

Jackson se rio suavemente.

—Espera a que empiece a vetar a los chicos con los que quiera salir.

Phoebe sonrió. Le gustaba el sentido del humor de Jackson.

—¿Y cómo es que estás aquí, sentado en la oscuridad?

—Pienso mejor en la oscuridad —contestó él—. Y hoy han pasado muchas cosas sobre las que necesito pensar.

Ella vaciló un momento antes de preguntarle:

—¿Qué cosas?

—Pues... por ejemplo lo impotente que me he sentido hoy, mientras esperaba a saber qué había pasado con Rex y contigo. Detestaba no poder hacer nada.

Phoebe tragó saliva, y en ese momento comprendió que su solitaria existencia había sido para él una manera de protegerse del dolor de preocuparse por otras personas.

—Me lo imagino.

—Llevo aquí un buen rato pensando en eso —continuó Jackson—, sorprendiéndome de que haya conseguido sobrevivir a ese infierno de incertidumbre. Y luego... luego he empezado a pensar en otras cosas.

—¿Como cuáles? —inquirió ella en un tono quedo.

—No lo sé —contestó él con una media sonrisa—. En hermanos, hermanas, padres, madres... —hizo una pausa—. Amantes.

Phoebe contuvo el aliento, pero al ver que él no decía nada más no pudo evitar instarlo a continuar.

—¿Amantes?

—Sí, bueno, estaba pensando en nosotros, de hecho.

Phoebe se quedó paralizada y el estómago se le llenó de mariposas.

—¿En... nosotros?

—Creo que podría decirse que hemos sido amantes, y espero que podamos seguir siéndolo el resto de nuestras vidas.

Y de pronto la agarró por la cintura, haciéndola caer en su regazo.

—¡Jackson! —protestó ella, dándole una guantada en el pecho.

—Shh... —Jackson se rio entre dientes y atrapó sus manos—. ¿No querrás despertar a Rex, verdad?

Phoebe intentó liberar sus manos.

—No pararé hasta que me digas algo muy, muy tierno.

Él la sorprendió diciéndole:

—Te quiero, Phoebe.

—¿Perdón?

Habría estado dispuesta a esperar cien años para oírle decir aquello.

—Te quiero —repitió él—. Y me da igual que te enfades conmigo y que me pegues, porque me lo merezco —le dijo poniéndose serio—. Porque cada vez que me distanciaba de ti y te decía que lo hacía por ti... en realidad lo hacía por ti. Cuando estaba esperando a saber qué había sido de ti después del terremoto... fue como una pesadilla. Como darme de bruces con todo aquello de lo que había estado intentando protegerme. Pero me hizo afrontar la verdad: que no puedo evitar amarte, del mismo modo que no pueden evitarse los terremotos.

Phoebe liberó una de sus manos para acariciarle la mejilla, y él la atrapó de nuevo para llevársela a los labios y besarla.

—¿Qué me dices? —le preguntó—. Rex, tú y yo podríamos ser una familia. Cásate conmigo, Phoebe.

Ella era consciente de lo difícil que debía de haber sido para él preguntarle eso. Durante todos esos años se había cerrado al amor porque sabía lo doloroso que podía ser querer a alguien, pero ella iba a hacer que eso cambiase. Le demostraría que el amor no tenía por qué ser doloroso.

Jackson se aclaró la garganta.

—¿Qué significa ese silencio?

—Estoy pensando.

Jackson se puso tenso, y Phoebe no quiso seguir torturándolo más tiempo.

—Estoy pensando —repitió con voz suave— cómo podría hacer de ti el hombre más feliz de la tierra.

Los brazos de Jackson la rodearon de inmediato, y la besó en la mejilla antes de susurrarle al oído:

—Eso es fácil; solo tienes que decirme que sí.

Epílogo

EN aquella familia cualquier buena noticia era la excusa perfecta para reunirse. Cuando Phoebe había llamado a todos y les había pedido que no le dijeran nada a Jackson, todos habían dicho de inmediato que no faltarían y que estarían allí puntuales.

El viernes por la noche Jackson entró por la puerta preparado como siempre para el entusiasta recibimiento de su hijo, y Rex no le defraudó. En cuanto lo oyó llegar saltó del suelo a los brazos de su papá. Jackson miró a Phoebe por encima de la cabecita del pequeño, que ya tenía tres años, y la saludó.

Phoebe sonrió a su marido, y se le derritió el corazón al verlo besar a Rex en la frente y revolverle el cabello. Su vida no había cambiado mucho, salvo que Jackson había abierto su propia empresa de ingeniería en Strawberry Bay, y que había mejorado en un cien por cien su capacidad de amar y ser amado.

Rex le dio un sonoro beso en la mejilla y le dijo:

—¡Ven a jugar conmigo, papá!

Jackson se puso al pequeño en la cadera y fue hacia Phoebe.

—Después de que le haya dado un beso a mamá —le dijo, y la besó con ternura en los labios antes de poner la mano sobre su vientre hinchado—. ¿Cómo te encuentras hoy?

—De maravilla.

—¿Y el bebé se ha portado bien?

Phoebe asintió. Estaba ya de tres meses y tenía algo de náuseas por las mañanas, pero no llevaba mal el embarazo.

—¿Qué hay para cenar? —inquirió Jackson.

Antes de que Phoebe pudiera responder llamaron al timbre, y Rex corrió a abrir, dejando pasar a una horda de amigos y familiares: Linc y Laura, que habían vuelto de la universidad para pasar las vacaciones de verano, sus padres, Elaine y David, la novia de Linc, y una chica y un chico que eran amigos de Laura. Todos se saludaron, y los recién llegados le dieron a Phoebe fuentes con comida que traían.

Jackson iba a preguntarle a Phoebe de qué iba todo aquello cuando llegó más gente: dos parejas de vecinos y sus hijos, la hermana de Elaine y su familia, y por último la señora Bee, que tras reconstruir la casa seguía metiéndose en las vidas de sus inquilinos.

Cuando todos tenían una bebida en la mano y estaban picoteando los aperitivos que unos y otros habían traído, Phoebe pidió que le prestaran un momento de atención. Todos la miraron expectantes y Phoebe sonrió al ver a Jackson rodeado por todos los niños, como de costumbre.

—Tengo algo que anunciar —dijo.

—¿Algo que anunciar? —repitió Jackson enarcando las cejas.

Phoebe se llevó la mano al vientre.

—Voy a tener un bebé.

—Cariño —dijo Jackson, visiblemente contrariado—. Eso no es nada nuevo; se lo dijimos a todos el mes pasado.

Phoebe sonrió divertida.

—Ya lo sé, bobo —le contestó—. Pero es que este es otro —así se lo había confirmado la ecografía que se había hecho esa mañana.

Jackson tragó saliva.

—¿Cómo?

Los ojos de Phoebe se llenaron de lágrimas de felicidad.

—Son dos, cariño; vamos a tener gemelos.

Los demás prorrumpieron en aplausos y gritos de júbilo, y Jackson fue hacia ella con una sonrisa radiante y tomó su rostro entre ambas manos para besarla. Habían llevado vidas muy solitarias hasta que sus caminos se habían cruzado, pensó Phoebe, pero ahora, con Rex, Linc, Laura, todos sus amigos y los pequeños en camino formaban una hermosa y gran familia.

OLGA SALAR

Di que Sí

Elba Vilanova es una exitosa periodista y madre soltera de una niña de doce años. Por casualidad conoce a Efrén Ventura, famoso músico de rock e ídolo de su hija, y salta la chispa. Cuesta mantener la indiferencia ante el encanto del artista, pero todo cambia cuando aparece en escena Max, padre de Alma, desaparecido años atrás. Max ignora la existencia de su hija, y su llegada pondrá a Elba entre la espada y la pared. ¿Debe continuar la historia con una salvaje estrella de rock más joven que ella o darle una oportunidad a su primer amor y tener por fin la familia con la que siempre ha soñado?

Olga Salar ofrece una historia irresistible con un difícil dilema y unos personajes atractivos y sugerentes… tanto los principales como los secundarios.

Nº 88

¡YA EN TU PUNTO DE VENTA!